découvrir

Collection dirigée par le professeur Roger Brunet,
assisté de Suzanne Agnely et Henri Serres-Cousiné.

Imprimé en France par l'imprimerie Jean Didier (Printed in France).
Librairie Larousse (Canada) limitée, propriétaire pour le Canada
des droits d'auteur et des marques de commerce Larousse.
Distributeur exclusif pour le Canada : les Éditions françaises Inc.,
licencié quant aux droits d'auteur et usager inscrit des marques pour le Canada.

ISBN 2-03-013930-0

beautés de la France

LA FRANCHE-COMTÉ

Librairie Larousse
17, rue du Montparnasse, 75006 Paris.

Sommaire

Dans chaque chapitre figure une carte originale de Roger Brunet.

Les numéros entre parenthèses renvoient aux folios placés en bas de page avec les titres abrégés des chapitres (1. Haut Jura — 2. Jura des eaux vives — 3. Reculées du Jura — 4. Franche-Comté).

1. Au pays du haut Jura

rédigé par Jean-Jacques Leblond

Les photographies sont signées :
pp. 1, 2 (haut), 2 (bas), 3, 8 (haut), 12-1 (bas), 15 (haut), 15 (bas), 16 (haut), 17 (bas), C. de Rudder-Vloo;
pp. 4-5 (haut), 8 (bas), 13 (haut), 18-19 (haut), 19 (bas), G. Papigny;
pp. 5 (bas), 6 (haut), 6-7 (bas), 7 (droite), 9 (haut), 9 (bas), 10-11, 12 (haut), 16 (bas), 17 (haut), 18 (bas), E. Kuligowski-Vloo;
p. 14, P. Tétrel.

2. Le Jura des gorges et des eaux vives

rédigé par Pierre Minvielle

Le reportage photographique a été réalisé par **Georges et Marie-Claude Papigny**, à l'exception de la photo p. 19 (haut), P. Jaubert.

Notre couverture :
Village de Lods (Doubs)

Photo : Tétrel-Fotogram

3. *Les reculées du Jura*

rédigé par Pierre Minvielle

Le reportage photographique a été réalisé par
Henri Veiller-Explorer,
à l'exception des photos
p. 13 (haut), Gerster-Rapho;
p. 14 (haut), René-Jacques;
p. 15 (haut), G. Papigny.

4. *La Franche-Comté des villes et des citadelles*

rédigé par Jacques Renoux

Le reportage photographique a été réalisé par
Georges Papigny.

ndex

Les lettres placées devant l'indication des pages renvoient aux chapitres suivants :

HJ (Au pays du haut Jura)
JEV (Le Jura des gorges et des eaux vives)
REC (Les reculées du Jura)
FC (La Franche-Comté des villes et des citadelles)

Les pages sont indiquées en **gras** lorsqu'il s'agit d'une illustration, en *italique* pour le renvoi à la carte.

En Franche-Comté

ABONDANTES, ses eaux vont toutes à la Méditerranée : une mer lointaine, si lointaine qu'« on n'a pas idée dans le Midi de cette délicatesse virginale et de cette fraîcheur universelle; il n'y a rien ici qui ne rie ni ne vire, tout est vert ». Ces mots de Taine restent justes.

Des paysages soignés, ordonnés, où le vert presque noir des forêts souligne et rehausse l'intensité du vert franc des prés, où de grandes maisons de pierre et de bois semblent distraitement surveiller les troupeaux rouges et blancs, où d'actives petites villes bien serrées font, depuis si longtemps, de petits objets toujours aussi soignés : c'est déjà comme un morceau d'Europe centrale, là où le mot pour dire la montagne et le mot pour dire la forêt se confondent en un « Wald », d'ailleurs ignoré des Comtois.

Un tapis vert et moelleux qui fait des plis, et qui par endroits se déchire au bord de profondes balafres aux lèvres blanches, dures, minces et serrées, laissant à peine entrevoir, quelque part au fond, un filet d'eau vive et comme une évocation d'un petit paradis de calme et de fraîcheur : le Jura est de ces pays où la soie cache la rudesse, qui cache la soie.

Tout à l'est de la France, donc, entre Alsace et Lyonnais, bien calée au long de la Suisse, s'étire la Franche-Comté. Ce n'est pas exactement le Jura, qu'elle n'a même pas en entier, puisque la partie méridionale du massif, avec le département de l'Ain, appartient à la région Rhône-Alpes; c'est, toutefois, la plus grande partie du Jura, avec une large bordure de plaines, épanouie au nord-ouest. C'est aussi, à peu près, la partie de l'ancienne Bourgogne, qui, comté et non duché, est longtemps restée hors du royaume de France : on fête en 1978 le tricentenaire de son rattachement. Mais elle eut assez de franchises légales — d'où son nom —, et donc d'indépendance réelle, pour n'avoir guère emprunté aux souverains germaniques, voire espagnols, qui l'ont régentée.

Elle était fort autonome, loin des grands pouvoirs; mais près de foyers d'invention, d'ingéniosité et de minutie, et près d'actives routes commerçantes. Les relatives rigueurs de l'hiver donnaient à la fois des loisirs et le besoin de compléter l'agriculture. De tout cela, sans doute, proviennent un certain sens de la liberté, de la démocratie et de la collectivité, dont portent témoignage les « fruitières », où l'on élabore le fromage, et peut-être aussi l'« affaire Lip », ainsi qu'une longue habitude d'artisanat spécialisé par villes et vallées : lunettes, montres, pipes, taille des gemmes. Ainsi la Franche-Comté est-elle une des rares régions où le travail de tous les jours est à mettre au rang des attractions touristiques!

En revanche, et pour les mêmes raisons, elle n'apparaît pas comme l'une des mieux pourvues en très grandes œuvres d'art. Encore qu'il en soit beaucoup d'estimables. Du Moyen Âge, il reste surtout des abbayes, à l'aise dans les vallées isolées, ou quelques maisons urbaines et des boiseries d'un XVe siècle florissant, quand Dole rayonnait par son université. Le XVIIIe siècle apparut comme la vraie Renaissance, après les ravages du XVIIe : ce qu'il y a de meilleur dans les villes comtoises — et nombre d'églises — vient de là; comme ces forts et ces citadelles qui, après avoir tenu la frontière, n'ont pour conquérants que des touristes conquis.

Cependant, ces réelles beautés, qui rehaussent les sites de la plaine, pâlissent un peu à côté de ce qu'offre, ou cache, la nature comtoise. Le Jura n'est peut-être pas une grande montagne; on y a pourtant souvent le vertige. C'est que les puissantes couches du calcaire sont propices aux gorges, aux surplombs, aux formidables corniches d'où dévalent les eaux.

Pays de calcaire, le Jura est aussi le pays des eaux. Deux grandes rivières, l'Ain et le Doubs, s'y sont taillé, en sens contraires, deux vallées au cours étrange, surtout pour la seconde. D'autres sourdent puissamment en énormes bouillons, avant de filer de rapides en rapides pour la joie des pagayeurs. Partout des lacs, naturels ou non, et toute la variété des cascades, de la «pissette» à la chute en passant par les formes changeantes des «voiles de la mariée». Eaux et calcaires créent un monde souterrain féerique, qui, dans le Jura, est loin d'avoir livré tous ses secrets; certaines grottes, en tout cas, se visitent; quelques puits naturels ajoutent à leurs mérites celui d'avoir servi de glacières, tant neige et glace s'y conservent bien.

Pays des eaux, le Jura est aussi le pays des forêts et de l'herbe : des grandes «joux», dont la plus vaste se nomme immodestement la *Joux et se visite comme un parc botanique; des pâturages, où se prélassent les montbéliardes; et des curieux prés-bois, un paysage original où arbre et herbe se mêlent.*

De haut en bas, ce livre a choisi de présenter quatre ensembles successifs.

La montagne proprement dite est tout à l'est, où elle fixe la frontière. Elle est le domaine des grands plis parallèles, qui font alterner monts et vaux, les premiers parfois creusés de vastes combes isolées, et parfois tranchés net par de vigoureuses cluses qui permettent d'aller de val en val, et que surveillent de vieux forts. Tout en haut, l'on skie. En bas, à Saint-Claude ou à Morez, à Pontarlier ou à Morteau, on fait de petits objets réputés, qui ont droit à leurs musées.

À l'ouest de ces lignes de crêtes s'étalent plus largement deux ou trois marches qui leur font un piédestal. Ce sont les plateaux chers à Courbet, où les plus beaux sites accompagnent les eaux de la Loue ou du Lison, tour à tour bondissantes et étales, de rapides en «miroirs», entre des murailles trouées de grottes. Avec des lacs splendides — les «Quatre», Chalain, Clairvaux, voire Vouglans maintenant. Avec des villages de charme — Ornans, Nozeroy —, de petites abbayes et des églises modestes.

Le rebord du Jura réunit une exceptionnelle densité de sites et une diversité d'intérêts encore plus complète. C'est qu'il est brutal, et morcelé, comme un vieux pupitre de collège, par les entailles des «reculées», ces gorges qui ne mènent qu'à des «bouts du monde». Là se dissimule Baume-les-Messieurs. Là s'abritent de célèbres et jolies petites villes : les unes qui évoquent le sel — Lons-le-Saunier, Salins-les-Bains, avec leur étrange annexe d'Arc-et-Senans en forme de cité idéale —, les autres qui évoquent le vin — Arbois, Poligny, Château-Chalon.

Devant, la plaine et de basses collines ont des charmes plus discrets, mais réels. L'intérêt principal y passe à de plus grandes villes, dont l'histoire a beaucoup parlé, et qui en ont gardé quelque chose, avec ce rien de réserve et de sévérité qui est dans l'air comtois : Dole, Besançon, Belfort avec Vesoul et Montbéliard jalonnent une voie convoitée entre Seine et Rhône d'un côté, Rhin et Danube de l'autre. Ce qui leur donne une certaine grandeur.

ROGER BRUNET

au pays du haut Jura

▲ *La profonde entaille des gorges de la Bienne aux parois raides et boisées.*

La prairie devient au printemps un parterre de fleurs. ►

◄ *Le mont Rond, coiffé de nuages, vu de la route du col de la Faucille.*

Le chevreuil, hôte des boqueteaux et des taillis du haut Jura. ►

Des monts arrondis aux fortes pentes, des combes sauvages,
de grandes forêts et de hauts pâturages où s'épanouit une flore déjà alpestre :
c'est la montagne jurassienne, verte et mouillée, attirante et réservée.

De robustes vaches,
souvent de race montbéliarde avec robe rousse tachetée de blanc,
animent, l'été, les fraîches prairies d'altitude.
L'automne venu, ces troupeaux, inséparables des paysages comtois,
quittent l'alpage et regagnent l'étable bien close
qui les abritera du froid et de la neige.

4. Haut Jura

▲ *Au sommet du Colomby-de-Gex, les troupeaux estivent près d'une combe enneigée.*

◀ *Chalets et bétail dispersés dans de vastes pâturages : un paysage montagnard traditionnel.*

Dans ce haut pays naguère isolé, dont le rude hiver glace les sommets,
la présence de l'homme reste discrète.
Le long des rivières capricieuses
ou au bord des lacs enchâssés dans la verdure,
la vie est étroitement liée à la nature
et se plie au rythme des saisons.

6. Haut Jura

◀ *Du mont Rond, le regard découvre, tout proches, les sommets enneigés du Grand Mont-Rond et du Colomby-de-Gex.*

L'heure de la fenaison dans la région sanclaudienne (près des Bouchoux). ▼

◀ *Allongé dans un val, traversé par le Doubs, le plus grand lac du Jura, le lac de Saint-Point.*

*Ramassée sous un large toit ►
de tuiles brunes
surmonté du « tué » :
la maison de la
montagne jurassienne.*

*Le lait des vaches
à robe blanc et roux
livré deux fois par jour
aux « fruitières »
sert à la fabrication
▼ du savoureux comté.*

*Le cadre traditionnel de la vie du haut Jura :
de pittoresques villages serrés autour de leur église,
des maisons basses et massives où s'abritent,
côte à côte, hommes et bêtes,
des prés dont le silence n'est troublé
que par les sonnailles des troupeaux,
des « fruitières » où est confectionné le roi des fromages comt*

◀ *Le petit bourg de Mouthe, blotti dans une combe, non loin de la source du Doubs.*

Prés et bois intimement mêlés : tout le pittoresque du haut Jura. ▶

▲ *Petite-Chaux : une jolie église veille sur un paysage d'herbages.*

« Suys en doulx lieux où je vous ai souhaité mille et mille fois... avec force belles montagnes haultes jusqu'au ciel, fertilles à tous, remplis de fort belles vignes et toute sorte de bons fruictz; les rivières et les vallées belles et larges, l'eau clère comme un cristal, une infinité de fontaines, truictes et ombres innumérables et les meilleures du monde; les champs en bas fort fertilles et fort belles prayères et ne l'ung des chaleurs grandes et en l'autre quelque chaleur qu'il face, un frais délectable... ». Ainsi le cardinal Antoine de Granvelle, confident de Philippe II d'Espagne, décrivait-il à un ami de la cour de Bruxelles ce pays jurassien que plus tard ont chanté Lamartine, Goethe, Ruskin, Taine, et dont Courbet sut, avec sa palette, traduire les innombrables nuances.

Par un escalier de géant, le haut Jura s'élève vers la Suisse, à laquelle il laisse ses plus hauts sommets. Le rempart qu'il forme, à l'est de l'univers des plateaux, fait office de frontière, mais n'offre ni reliefs altiers comme les Alpes ni horizons émoussés à la manière vosgienne. L'altitude n'y atteint pas 1 500 m au crêt Pela, en Franche-Comté, et, dans l'Ain, elle ne dépasse guère 1 700 m. Le relief est cependant fort original : de hautes chaînes parallèles — chapelets de « monts », parfois dentelés de crêts qui cernent quelque combe herbue —, séparées par des vaux souvent profonds, communiquant entre eux par des *cluses* encaissées et étroites, défilés typiques du paysage jurassien, points de passage obligatoires et bien défendus. Sciant par le travers les grands plis anticlinaux, les cluses en révèlent la structure, belle « leçon de choses » où, dans les ondulations des couches du calcaire, se lit l'ampleur du plissement. Fruits d'une érosion autrefois active, élargies par les glaciers aujourd'hui disparus, elles guident le tracé des rivières en brisant leur cours. Le massif ayant encore bougé bien après que les rivières eurent dessiné leur réseau, ce dernier est hésitant, changeant, rendu en outre irrégulier par l'infiltration des eaux dans le calcaire.

Des lignes adoucies, de mous vallonnements..., et partout de la verdure, tel est le paysage du haut Jura : ici le vert sombre des résineux qui se serrent sur les versants, là le vert clair des herbages qui trouent le manteau forestier, lui donnant une allure de parc — on l'a baptisé « pré-bois ». Le vert tendre des prairies tapisse le creux des vallées, souvent humide, tandis que, sur les sommets, au-dessus de 1 200 à 1 300 m, les arbres laissent la place aux pâtures où estivent les troupeaux. C'est par exception que la pelouse se fait rocailleuse, pourtant émaillée de couleurs par les fleurs du printemps.

Dans ce paysage d'arbres et de prairies, en butte à un climat rigoureux que font régner les vents (la « traverse » notamment), le gel et la neige des mois durant, on se sent tout à fait en montagne. La vie s'y est établie au secret des vaux, à proximité des eaux vives ou des lacs, et rares sont les villages à plus de 1 000 m comme Les Rousses,

Le signal de la Roche-Blanche offre un large panorama sur les vallées du Flumen, ▼ *du Tacon et de la Bienne.*

Lamoura, Septmoncel. Contraint à la solitude par les longs hivers Jurassien a longtemps vécu replié sur lui-même et s'est forgé aut de son foyer et du village un mode de vie communautaire. A chaque vallée apparaît-elle comme un petit monde à part. Cepend l'essor des sports d'hiver, favorisé par la proximité de Paris (à m

s Alpes à livre ouvert

Le *mont Rond,* c'est l'un des plus èbres belvédères jurassiens, qui mit le Grand Mont-Rond (1 614 m) le Petit Mont-Rond, son cadet de m. Ce dernier est accessible par la écabine du col de la Faucille ou r le télésiège de Mijoux (qui nduit à la télécabine précédente). là-haut, vers l'est, s'offre au gard le plus étonnant des noramas sur la cohorte des cimes estres. Sur 250 km de large 150 de profondeur, c'est une evauchée de pointes et de pics sur isieurs plans, tandis qu'en ntrebas s'étire la longue nappe ue du lac Léman.

Du nord au sud s'élèvent d'abord Alpes fribourgeoises et berland bernois, d'où émerge la ngfrau (4 158 m). Puis la France montre le bout de son nez, qu'elle a bien joli du côté d'Évian et de Thonon. En toile de fond, la dent d'Oche (2 225 m) et les Cornettes de Bise (2 432 m). Ensuite se profilent les Diablerets et surtout le Cervin (4 477 m), qu'on appelle en allemand Matterhorn. À quelque 80 km à vol d'oiseau, les dents du Midi (3 257 m) annoncent, avec plus à l'est le Grand Combin (4 314 m), la longue ligne de crêtes du massif du Mont-Blanc. Viennent l'aiguille Verte et les Grandes-Jorasses — à plus de 4 000 m —, avec, en léger contre-bas, l'aiguille du Midi, et enfin le seigneur alpin dont le dôme immaculé s'embrume d'une poussière de lumière : le mont Blanc. L'œil glisse ensuite vers la Savoie et le Dauphiné, qui porte les Grandes Rousses (3 468 m) et Chamechaude (2 087 m) à bout de

——→

▲ *Du mont Rond au crêt de la Neige, une longue ligne de sommets battus par les vents.*

500 km) et la variété du relief, a découvert au montagnard comtois nouveaux horizons. On a aménagé les pentes, bâti des hôtels, anisé la pratique du ski de fond et des randonnées. On est ormais loin du temps où la neige paralysait la vie. Le haut Jura, t en restant sauvage, s'est offert au tourisme.

Le règne de la forêt

La Franche-Comté est l'une des régions les plus boisées de France, avec une superficie forestière de plus de 380 000 ha. La nature du sol, le relief, l'exposition contribuent à l'extrême diversité d'un peuplement forestier qui s'étend partout, enfonçant profondément ses racines dans le sol des basses terres, s'accrochant sur les pentes au fragile humus et aux fissures humides, ceinturant bourgs et pâturages et gagnant chaque année en surface. Les essences de la forêt comtoise s'ordonnent selon une hiérarchie imposée par l'altitude. Tandis que dans les plaines et au flanc des collines piétinent les escadrons des feuillus (chênes, hêtres, charmes, érables), tandis que sur les plateaux calcaires s'aligne aussi une forêt de feuillus mais où domine le hêtre, au-dessus de 800 m apparaît la cohorte des sapins, mêlés à 10 p. 100 d'épicéas et de hêtres. Puis, entre 1 000 et 1 500 m, le haut Jura lance vers les sommets ses bataillons de résineux, sombres « pessières » aux fûts serrés, sans sous-bois; là domine l'épicéa (on le nomme « fuve » en patois), apte à supporter la rigueur du climat montagnard. Toile de fond de l'univers jurassien, la forêt joint à la beauté et à la variété de ses essences l'attrait d'un large éventail de promenades au fil desquelles on peut tout à loisir herboriser ou cueillir des champignons. Quelques-uns de ces lieux privilégiés ont été aménagés pour les randonnées à cheval et à ski.

Ainsi prendra-t-on le temps de flâner dans la *forêt du Massacre,* qu'autrefois l'on appelait forêt de la Frasse et qui doit son nom actuel au massacre, en 1535, de mercenaires de François Ier venus défendre Genève, assiégée par les troupes du duc de Savoie. Elle coiffe le crêt Pela (1 495 m) et, des routes qui la quadrillent, on jouit de superbes échappées sur les alentours (Les Rousses, La Cure, les cimes du Noirmont et de la Dôle, jusqu'aux Alpes). La *forêt du Risoux,* partie en France, partie en Suisse, n'a rien à lui envier : sur 50 km de longueur et 4 à 5 de largeur, à une altitude d'environ 1 350 m, elle s'étale jusqu'au Mont-d'Or, à l'est de la vallée de l'Orbe. Ses futaies se prêtent à de multiples excursions : combe du Vert, fort du Risoux, crêt des Sauges, etc. Détail intéressant, ses bois de « résonance » sont appréciés des facteurs d'instruments de musique.

Cette parure forestière, dont on vante aujourd'hui les charmes, n'eut pas toujours aussi belle réputation. Longtemps ce ne fut qu'un « désert vert », qui servit de refuge durant les époques de troubles. Son ampleur et son obscurité, nota César, inspirèrent tant de crainte aux légions en marche vers la plaine d'Alsace qu'il fallut toute l'autorité des chefs pour vaincre l'appréhension de troupes pourtant aguerries. Longtemps après, les chaînes du Jura furent considérées comme impénétrables. Avec l'introduction du christianisme, elles devinrent des voies d'accès vers Rome, et à ce titre justiciables de bras. Sur le devant de la scène s'étalent les sombres forêts des Préalpes.

Ce grandiose spectacle, le ciel et la lumière, qui sont ici d'humeur capricieuse, le voilent d'un flou romantique ou en rendent tous les détails avec la précision d'une estampe japonaise. Mais le visiteur, un instant ébloui, sera bien avisé de « revenir sur terre » après ce survol immobile. Il pourra se rendre à pied au Colomby-de-Gex en suivant la crête (ce sommet offre, lui aussi, un intéressant panorama sur le pays de Gex, le Léman et les Alpes) ou redescendre jusqu'à la *vallée de la Valserine*. Celle-ci mérite qu'on s'attarde en ses prairies, qu'on y découvre, abritées par quelque versant, des neiges qui passent parfois l'été. Ou peut-être préférera-t-on se reposer l'œil sur la flore qu'on

▲ *Scène de la vie quotidienne au XVe siècle : une des stalles, sculptées par Jehan de Vitry, de la cathédrale Saint-Pierre (Saint-Claude).*

touche du pied — gentianes, anémones et crocus au printemps chardons bleus de montagne et asters pendant les périodes estiva et automnale — ou encore, plus voir les « marmites de géants » au pont des Oules. ■

Le Jura des belvédères

Le Jura est un pays de belvédè naturels d'où la vue porte loin su paysage de verdure et d'eaux viv de crêtes et de combes, et même, au-delà, sur les hautes cimes des Alpes. Ainsi, les régions de Saint Claude et de Morez bénéficient d bon nombre d'observatoires accessibles en voiture. S'il faut parfois marcher quelques minute panorama que l'on découvre mér ce minime effort.

droits de péage. Dès le VIe siècle, défricheurs autant qu'évangélistes, les moines aménagèrent les premières clairières, et dans ces trouées, au fur et à mesure, s'installèrent fermes ou granges, noyaux des hameaux du haut Jura. Ce processus de peuplement explique la dispersion de ce monde rural où l'habitation s'isole volontiers au centre d'un territoire fermé par des taillis.

Les petites communautés des prés-bois

Parfois les arbres se dispersent en bouquets entre lesquels s'installent des prés, naturels ou créés par l'homme. Ce sont les prés-bois où pâturent, à l'abri du soleil et des intempéries, les vaches montbéliardes blanc et roux, bêtes aux pis généreux qui font la renommée de la production fromagère jurassienne.

Le pré-bois est un petit monde organisé autour d'activités agricoles et artisanales, régies par le rythme des saisons. Le plus souvent élargi par des défrichements successifs, il couvre surtout les basses pentes et les placages d'argile déposés par les glaciers disparus. Élevage et culture trouvent dans ces prairies d'altitude un domaine à leur mesure. De puissantes fermes les parsèment, conçues pour résister à un froid rude et à un vent cinglant. L'habitat est ici trapu, vaste et large d'assises, avec un imposant pignon qui supporte la lourde charpente. Il abrite sous le même toit hommes et bêtes, provisions et fourrage. Selon l'altitude, les murs sont en pierres, percés d'étroites ouvertures, ou faits de madriers taillés à vif dans les troncs. La couverture est en tuiles brunes ou en « tavaillons » (planchettes de bois), disposés en écailles, mais la tôle tend à remplacer le bois. Cette toiture est, dans les fermes traditionnelles, de moins en moins nombreuses, coiffée par le *tué* (ou *tuez*), sorte de hotte pyramidale fermée par des volets et qui s'élève au-dessus de la ferme telle une tour de guet. Le tué couvre une pièce aux murs revêtus de bois, sur laquelle donnent les pièces principales de la maison et qui servait autrefois à chauffer la demeure, faisant aussi office de fumoir (on y fumait jambons, saucisses et « brési » — quartier de bœuf — sous un feu de genévriers). Grâce à la chaleur dégagée par le tué, on pouvait sécher le foin dans la grange. Lorsqu'on était bloqué par la neige, il permettait aussi de sortir par le toit! La pièce maîtresse de l'habitation jurassienne reste l'*houteau,* cuisine-réfectoire, auquel succède le *poêle* (le « pèle » savoyard) : chambre et salle à manger des grandes occasions, réservé aux propriétaires. Vaisseliers, horloges, armoires et maie-table (à la fois table à manger et pétrin) meublent la maison qu'une porte relie à l'écurie voisine.

Lorsque les fermes se regroupent, elles le font autour des deux éléments dominants de la vie comtoise : le clocher, plus robuste que gracieux, et la fruitière, centre de la communauté des prés-bois, pi de son activité et l'une des formes les plus originales de démocra montagnarde. C'est une coopérative laitière où l'on traite le lait d ou de plusieurs villages dans de grands chaudrons de cuivre rou pour le transformer en lourdes meules de comté (à croûte rugueu ou d'emmental (à croûte lisse). Si l'on pense à l'isolement des fern ou à leur dispersion et aux difficultés de communications dues à rudesse du climat, si l'on sait que 600 litres de lait sont nécessaire la fabrication d'un fromage de 50 kg, dans une région d'élevage où moyenne laitière par ferme n'excède pas 200 litres par jour, raisons de cette association de producteurs sont claires. Cette mise commun du produit laitier n'est pas due aux exigences de productivité moderne : c'est une tradition qui remonte au XIIIe siè Dès 1264 se fabriquait un « froumaige de fructère », le « vacheli ancêtre du gruyère. Mais, jusqu'au XIXe siècle, il n'y avait pas de lo spécialisé. Le chaudron allait de ferme en ferme chez les paysans, assumaient la fabrication du fromage chacun à leur tour.

La livraison du lait à la fruitière est généralement la grande affa de la journée. Après la traite des vaches, assurée par les femmes, sont les jeunes qui livrent la récolte du lait au fruitier. Naguère, l'apportaient à dos d'homme dans une « bouille », récipient de blanc qui exigeait de solides épaules. C'est à la fruitière que se te la gazette de village. Elle est encore un lieu de rencontre, bien qu ramassage laitier se soit modernisé et que les petites fruitières soi progressivement remplacées par des centres de transformation tiennent plus de l'industrie alimentaire que de la production fermiè Pourtant, on peut encore déguster celle-ci dans l'un des quelque m chalets que l'on rencontre au cours de randonnées. Certa pratiquent même le camping à la ferme, ce qui est une excelle initiation à la vie rurale comtoise.

Une industrie artisanale

Dans ce pays de forêts, où l'homme est isolé et condamn l'inactivité par le long hiver, le bois fut, bien entendu, le pren matériau que travaillèrent les Comtois. Du berceau en lattes tress au cercueil de sapin, il faisait partie intégrante de la vie montagna fournissant l'essentiel du mobilier, mais aussi la charpente de toiture, les tavaillons qui recouvrent les murs exposés aux v humides. L'épicéa était utilisé pour la confection des paniers et hottes. L'aubier se prêtait à celle de la vaisselle. En bois égalem tous les ustensiles auxquels on avait recours pour la laiterie la fabrication fromagère. Objets de première nécessité, ob d'agrément (tels les jouets que sculptaient les bergers en survei

Dans la région de Saint-Claude :
belvédère du mont Saint-ristophe, entre Moirans et nans;
belvédère du Regardoir, à 2 km Moirans;
belvédère de la Roche d'Antre mmune de Villards-d'Héria);
belvédère de la chapelle Saint-main, dans la vallée de la Bienne;
balcon de la croix de Pratz, à lque 13 km à l'ouest de Saint-ude;
belvédère de la Scia (864 m), ù l'on embrasse l'ensemble du t Jura, à 5 km de Lavans-lès-nt-Claude;
belvédère de la Sourde, au nord Saint-Claude, entre Leschères et aux-des-Prés;
belvédère de la Roche Cuchet 18 m), au sud-ouest de Saint-ude;
— belvédère de la Roche Chabée (1 060 m), près de Bouchoux;
— belvédère du saut du Chien, dominant les gorges du Flumen;
— belvédère de la Cernaise, également au-dessus des gorges du Flumen;
— la Roche-Blanche (1 129 m), au-dessus de Saint-Claude;
— belvédère du crêt Pourri (1 025 m), tout près de Saint-Claude;
— belvédère de Cinquétral (780 m), légèrement au nord de Saint-Claude.

Dans la région de Morez :
— belvédère de Morbier, peu avant le village du même nom;
— belvédère des Rousses, non loin du village des Rousses;
— belvédère des Maquisards, dans la direction de Prémanon;
— belvédère des Dappes, entre La Cure et Lamoura, près du sommet des Tuffes. ■

▲ *La chapelle Saint-Romain (XIVe s.) s'élève sur la crête de la Balme, à 270 m au-dessus de la vallée de la Bienne.*

Émergeant des toits de Saint-Claude, a tour carrée, la façade classique t les échauguettes prolongées ar des flèches de la cathédrale Saint-Pierre.

leurs troupeaux), œuvres d'art (pour exemples, les stalles de l'abbatiale de Montbenoît, du XVIe s., et celles du XVe qui ornent le chœur de la cathédrale de Saint-Claude) : le bois était employé dans cette région aux fins les plus diverses, y compris pour le chauffage, où le hêtre était fort apprécié. Depuis environ un demi-siècle, cette exploitation de la forêt s'est élargie et a fait naître de véritables industries dont les produits touchent autant le marché national que les grands marchés mondiaux. Bois de menuiserie, meubles de bureau et de cuisine, fûts, poteaux sortent des usines jurassiennes, tout comme les boîtes appelées à contenir les fromages de Normandie ou de l'Est. Des fabriques se sont consacrées au jouet de bois peint, qu'elles vendent de par le monde. D'autres sont spécialisées dans les pièces de jeux d'échecs (la majeure partie de la production mondiale).

Mais l'artisanat demeure. Nombre de maisons, en montagne, possèdent encore un tour électrique auquel est réservée une place privilégiée devant la fenêtre. Il sert à façonner bien des objets courants : manches, robinets que l'on vendra aux vignerons du bas pays, etc. Ainsi certaines fermes se transforment-elles en petits ateliers durant l'hiver jusqu'à ce que reviennent les beaux jours.

Sur les traces des moines défricheurs

De cette vie jurassienne, rude et industrieuse, l'active cité de *Saint-Claude* est le parfait symbole. Sise à une altitude de 390 à 440 m, au creux d'un profond ravin, confluent de deux torrents capricieux (la Bienne et le Tacon), agrippée au flanc du mont Bayard et cernée par la montagne de tous côtés, elle bénéficie d'un cadre grandiose. « Le vallon de Saint-Claude..., avec les falaises grises de ses rochers, a une profondeur, des tourments, des anfractuosités, des abîmes, des vertiges, qui fascinent les yeux », écrivait en 1815 Lamartine, émerveillé par cette « ville fantastique, hors de la portée des sens, au fond d'un des cercles de Dante ».

C'est du désir de solitude de deux moines, Romain et Lupicin, qui choisirent pour retraite le haut Jura, que naquit vers 430, à Condate, une abbaye appelée au VIe siècle « Saint-Oyand ». Sans doute fut-elle peu reconnaissante à ses fondateurs puisqu'elle se plaça, en définitive, sous la protection de saint Claude qui la gouverna au VIIe siècle. De nombreux disciples furent attirés par la renommée des deux moines. Ils défrichèrent les lieux, et bientôt, 1 500 religieux occupèrent ces vastes domaines. Sous saint Oyand et saint Claude, l'influence de l'abbaye fut grande. Elle respectait la rigoureuse règle bénédictine, mais la discipline se relâcha au fil des siècles. Les moines devinrent plus des gentilshommes que des hommes de Dieu et, jusqu'à la Révolution, abusèrent de leurs privilèges, au grand scandale

▲ *La fabrication des pipes, spécialité de Saint-Claude : l'artisan y devient artiste.*

Les maîtres pipiers sanclaudiens

Aucun fumeur de pipe, de par le monde, n'ignore le nom de Saint-Claude. Les tourneurs sanclaudiens ont en effet donné à la pipe un label de qualité rarement égalé. Certes, la cité jurassienne a aujourd'hui perdu, en ce domaine, le monopole qu'elle détenait avant la Grande Guerre, mais la pipe demeure l'un des fleurons de l'industrie locale. Près de 5 millions de pipes par an, dont les deux tiers sont destinés à l'étranger, plus de 1 300 ouvriers occupés à leur fabrication, telle se présente la situation actuelle. Et Saint-Claude produit environ 90 p. 100 de la production totale de *pipes de bruyère.*

Cette activité traditionnelle remonte, semble-t-il, au début du XVIIIe siècle; elle fut d'abord limi à la confection de tuyaux, en bui en os, puis en corne, pour les fo de terre et de porcelaine façonné dans d'autres régions. C'est à par de 1750 que l'on entreprit de fabriquer des pipes entières et d'utiliser, comme matériau, du hêtre, de l'alisier, du merisier, de l'érable — bois sans grande résistance qu'un siècle plus tard racine de bruyère supplanta. Il s' de la « bruyère arborescente » *(E arborea),* qui se plaît dans les régions méditerranéennes. Le Va les Pyrénées-Orientales, les maq corses, au-dessous de 650 m, son parmi ses terres de prédilection. saveur de son bois, sa résistance feu lui dessinèrent sa vocation : l souche, débitée en « ébauchons » (petits blocs), fournit les fameuse pipes de bois dur, au grain serré,

Une curiosité géologique vieille de millions d'années : le Chapeau de Gendarme,
▼ *dans les gorges du Flumen.*

de Voltaire d'ailleurs, cet ermite laïque alors retiré dans sa thébaïde de Ferney, à l'ombre de la calviniste Genève.

Des saints qu'elle avait entretenus et enchâssés, la ville de Saint-Claude, qui dépendait du monastère, tira ses premiers profits : un petit artisanat destiné aux pèlerins qui venaient se recueillir sur les reliques, surtout celles de saint Claude que beaucoup de grands de ce monde, comme Anne de Bretagne, vinrent prier. On tournait dans le bois (surtout le buis) des articles religieux, tels chapelets et crucifix. Rabelais lui-même évoqua « les gros patenôtres de Saint-Claude ». L'habileté des artisans sanclaudiens devint célèbre, et devait se confirmer plus tard avec la fabrication de la pipe, ainsi qu'avec la taille de la pierre précieuse et du diamant. Cette dernière (introduite au XVIIIe s. pour les pierres fines et à la fin du XIXe pour l'industrie diamantaire) est un art qui se transmet de père en fils — les pierres sont importées d'Afrique du Sud, du Brésil, du Congo.

La cité jurassienne doit à sa remarquable situation l'essentiel de son attrait. Son architecture est en elle-même banale et a peu conservé d'un passé que le feu ruina à maintes reprises. Reliée d'un torrent à l'autre par un viaduc et des ponts, dont le plus ancien, le vieux pont d'Avignon, a été jeté par les « frères pontifes de Saint-Bénézet », elle a poussé en hauteur dans un espace exigu. Une seule artère la desservait jadis, l'actuelle rue de la Poyat, fort pentue, qui reliait le quartier de l'abbaye à celui, populaire, du faubourg, et qu'empruntaient les pèlerins qui montaient vénérer les saints. La cathédrale Saint-Pierre, élevée aux XIVe et XVe siècles, occupe, sur le quartier haut, les fondations de l'abbaye primitive. Elle fut autrefois fortifiée — l'abside est flanquée d'échauguettes — et en partie détruite par l'incendie qui ravagea Saint-Claude en 1799. La tour carrée et la façade datent du XVIIIe siècle. Austère mais baigné de lumière, le sanctuaire abrite dans le chœur des stalles sculptées entre 1449 et 1465 par l'artiste genevois Jehan de Vitry. Elles évoquent la vie des bienheureux personnages qui gouvernèrent l'abbaye avant qu'elle ne fût livrée à la débauche. Autre pièce précieuse : le retable de bois doré offert en 1533 par Pierre de la Baume, évêque de Genève, chassé par la Réforme. Peint dans le goût florentin, il illustre des scènes de la vie de plusieurs saints, dont saint Pierre, saint Claude et saint Oyand.

Au pays de Saint-Claude

Cette ville, prise dans une nasse de pierre et d'arbres, étirée dans un goulet, ne peut se bien voir que de haut. Les lieux ne manquent d'ailleurs pas d'où l'on peut la dominer et saisir son plan général : la place Louis XI, la terrasse derrière le monument aux morts et la *grotte Sainte-Anne,* qui est le plus intéressant de ces observatoires : le quelles les maîtres pipiers de nt-Claude impriment une forme inale.

De l'ébauchon à l'objet fini, intes opérations sont nécessaires. rès avoir été plongés dans un bain té à ébullition un jour durant, les uchons sont séchés à l'air libre 3 à 6 mois), puis classés par es. Vient ensuite la fabrication prement dite. L'ouvrier formise l'ébauchon *(calibrage)* nt le tournage et le forage du er *(ébauchage).* On effectue uite le tournage de la tige *rlopage)* et le *fraisage,* soit mination du surplus de bois. in, la tige est percée et le *rapage,* main, fait disparaître l'excédent bois qui peut encore demeurer. reste plus alors qu'à s'occuper de résentation : on ajuste les aux, on polit l'ensemble et on le badigeonne pour lui donner couleur et verni. Il n'existe pas deux pipes pareilles, tant pour le « bouquet » que pour l'aspect. Depuis le siècle dernier, l'ébonite a, pour les tuyaux, détrôné l'os et l'ivoire, mais la corne conserve ses fidèles.

Certaines fabriques peuvent se visiter, et il existe à Saint-Claude une Maison de la Confrérie des maîtres pipiers, abritant d'intéressantes collections de pipes anciennes, proposant des films retraçant la fabrication des pipes sanclaudiennes. Elle se visite du 1er juin au 15 septembre. ■

Le fromage à table

Le fromage est chose sérieuse dans le pays comtois. Grandes sont la variété et la qualité de la

———▸

▲ *Crêts et monts, jadis solitaires, offrent aujourd'hui aux skieurs de beaux champs de neige (Métabief).*

inueuses, encaissées, nvahies par la forêt ui masque la rivière, es gorges de la Bienne.

regard plonge de 200 m sur les sages activités sanclaudiennes. Les plus curieux préféreront sans doute grimper jusqu'à la cascade de la Queue-de-Cheval ou au crêt Pourri (1 025 m), buts de promenades attrayants avec, pour le premier, la rafraîchissante récompense d'une chute d'eau, haute de 50 m.

Les *gorges du Flumen* débouchent presque aux portes de Saint-Claude. Affluent du Tacon, le Flumen s'est creusé sur une douzaine de kilomètres un passage acrobatique et pittoresque qu'il franchit de cascade en cascade. Les gorges sont impressionnantes, sauvages, et la route épouse un itinéraire en lacet compliqué de corniches. De l'un de ses détours on découvre le *Chapeau de Gendarme,* l'une des plus célèbres « leçons de choses » offertes par la géologie jurassienne. Les strates calcaires se sont plissées jusqu'à former le bicorne qui coiffa la maréchaussée au siècle dernier. Autre curiosité placée sur ce chemin taillé à vif dans le roc et la forêt : le *belvédère de la Cernaise,* installé sur le vide. De là on embrasse les gorges, Saint-Claude et le haut plateau de Septmoncel, avec son petit bourg au milieu des pâturages.

À l'opposé du Flumen, entre Morez et Saint-Claude, les *gorges de la Bienne* méritent aussi une visite. Cette torrentueuse rivière, qui prend naissance près des Rousses, à la frontière suisse, va rejoindre l'Ain après avoir traversé Saint-Claude et reçu le Tacon. Elle a dû se frayer un chemin par des cluses dans le massif jurassien. Tout au long de leur parcours, ces gorges sont parfaitement accessibles; deux routes sinueuses, s'engageant sous bois et ne perdant presque jamais de vue la Bienne, les longent, souvent réduites à un étroit balcon. Les échappées ne manquent pas, qui s'ouvrent sur de prodigieuses perspectives, notamment à Valfin-lès-Saint-Claude et, sur l'autre versant, à Cinquétral, qui domine Saint-Claude de 400 m.

En aval de Saint-Claude, une halte s'impose à la chapelle Saint-Romain, lieu de pèlerinage de la région, d'où s'offre au regard, à 270 m en contrebas, une Bienne alanguie par la douceur bressane. Nerveuse et capricieuse au fond des gorges qu'elle quitte, la rivière s'élargit ici en méandres, entre des parois boisées, paysage certes assez éloigné de l'idée que l'on se fait des eaux sauvages du haut Jura. Puis, avant de se jeter dans l'Ain, la Bienne passe à *Dortan,* village martyr qu'une colonne allemande rasa en juillet 1944, en représailles contre les maquis du haut Jura et de l'Ain.

Point de départ des gorges de la Bienne, *Morez* s'étire sur 3 km dans une cluse, au fond de l'étroite vallée de cette rivière, dont la largeur maximale est à peine de 300 m. Si l'on arrive par le train, on ne manque pas d'être impressionné par l'importance des viaducs qui enjambent la ville, dont l'unique rue est dominée par d'imposants escarpements. Morez doit sa réputation à la lunetterie, née dans les forges qui autrefois battaient le fer tiré du sol. Le premier atelier production jurassienne. Rien d'étonnant donc à ce qu'on lui accorde une large place dans la gastronomie locale. Si le *comté* est le plus célèbre (une « lichette » de ce fromage, accompagnée de noix fraîches et d'un verre de château-chalon, permet, au-delà de sa fermeté, d'en découvrir le véritable caractère), si l'*emmental,* que préfèrent au comté les « bons becs » parisiens et dont se gaussent volontiers les fromagers comtois, a également acquis ses lettres de noblesse, il existe d'autres variétés que l'on ne peut ignorer, souvent moins connues parce que consommées sur place. Tels sont :

— le *vacherin,* fromage de vache à pâte molle originaire du haut Doubs, que l'on nomme aussi vacherin de Joux;

— le *morbier,* fromage de vache à pâte pressée, présentant en son centre une raie de suie. Les bergers le fabriquent l'été;

— le *bleu du haut Jura* : sous cette appellation sont réunis les bleus, fromages de vache persillés, des régions de Septmoncel (Jura) et Gex (Ain).

Mais faisons une place à part à la *cancoillotte,* typiquement comtoise. Elle se préparait naguère au foyer pour la consommation familiale, selon une recette que chacun gardait jalousement, et naquit de l'art de récupérer les restes. Il entre, dans sa confection, du « meton » (base de toutes les pâtes à fromage) mêlé à du beurre, parfois rehaussé d'ail et de vin blanc, et chauffé jusqu'à la formation d'un mélange onctueux que l'on déguste tiède sur du pain ou avec des pommes de terre.

Autre gourmandise : la *fondue,* ou plus exactement le *ramequin,* adaptation française de la fondue suisse, qui se prépare avec du gruyère bien gras, du vin blanc et que l'on agrémente d'un peu d'ail. ■

Au pays du comté

Bien souvent on lui donne le nom de « gruyère de Comté », appellation certes justifiée lorsqu'on se reporte au Moyen Âge (les fromages destinés au paiement des impôts étaient collectés par des agents « gruyers »), mais aujourd'hui peu utile dans la mesure où elle crée une confusion entre deux fromages bien différents, d'origine et de nature.

C'est dans les « fruitières » de village que se fabrique le roi des fromages comtois. Et pour le visiteur curieux d'en savoir plus a

▲ *Chaque village a sa fruitière d'où sortent les lourdes meules de comté.*

Depuis le Moyen Âge, le château de Joux commande du haut de son rocher
▼ *la cluse de La Cluse-et-Mijoux.*

s'ouvrit en 1796 et fabriqua des besicles pour les besoins loca D'astucieux négociants eurent l'idée de faire connaître cette proc tion dans les foires. Le succès vint et, vers 1840, la bourg morézienne lança la mode du pince-nez que tout notable français devait de porter. Depuis, cet essor n'a cessé et Morez a créé École nationale d'optique et de lunetterie. Autre vocation de Mo les sports d'hiver : elle commande en effet l'accès aux stati jurassiennes, dont *Les Rousses* et *Lamoura* sont les plus connues. première est un centre de villégiature estival et hivernal, juch 1 100 m d'altitude au bord d'un lac qu'animent, à la belle sais baigneurs et amateurs de voile et de canotage. C'est à proximité Rousses, à *Prémanon,* qu'a été installée l'École de saut et de sk fond, dont le Jura est l'une des terres d'élection. Des Rousses, peut retrouver la Bienne et remonter jusqu'à sa source, au fil gorges de la Chaille, ou se diriger vers le col de la Faucille, qu 1 320 m d'altitude, réunit par une route fréquentée la France Suisse.

Une sentinelle comtoise

Au nord du pays de Saint-Claude, au-delà des gorges de la Bier de la forêt du mont Noir, de celles du Prince, de Mignovillard et d Grande Côte, de l'autre côté de la montagne du Laveron, la régio Pontarlier présente un autre aspect du haut Jura. Le paysage n plus tout à fait le même. Il est plus doux, plus ouvert : des vallées, lacs, des rivières, des forêts et des cimes arrondies portant pâturages, harmonieux horizons que partage la Suisse, toute voisi

Installée sur le Doubs, *Pontarlier* est une porte, un fort et frontière. Aussi ne s'étonnera-t-on pas que son destin ait été cr Elle fut détruite au cours de la guerre de Trente Ans, puis, 1736, par un incendie qui trouva dans le bois des constructions proie de choix. Autrefois (du XIIIe s. jusqu'à la conquête d Franche-Comté par Louis XIV) cœur du « baroichage » — cette p république qui regroupait autour d'elle 18 villages jurassiens —, est aujourd'hui une grande bourgade aux larges artères, une industrieuse, animée par le passage vers la Suisse. Si les Pontissal ont gardé un goût très vif de leur passé, il leur en reste cependant peu de souvenirs : l'arc de triomphe, élevé au XVIIIe siècle l'honneur de Louis XV après la reconstruction de la ville; la chap de l'ancien couvent des Annonciades avec son beau portail; l'é Saint-Bénigne que surmonte un robuste clocher de pierres brun

Les plus imposants vestiges de cette histoire, faite d'assauts e combats — encore en 1944 —, sont tout proches : ce sont le châ de Joux au sud et les fortifications du Larmont, au nord,

été créé un parcours touristique balisé : la « route du comté », qui, de Pont-de-Roide à Thoirette, en passant par Gigot, Morteau, Pontarlier, Mouthe-Censeau, Champagnole, Pont-de-Poitte, Moirans, avec une bretelle vers Poligny, lui permet de découvrir le pays de production du comté. Sites pittoresques, fruitières, chalets de dégustation, monuments intéressants jalonnent cet itinéraire original.

Pour obtenir ce savoureux fromage à pâte pressée et cuite, on utilise le lait des vaches montbéliardes pie rouge, qui lui procure son goût particulier. Ce lait, chauffé à environ 33 °C, est mis « en présure » (25 à 35 minutes) afin que soit facilitée la coagulation (caillage). On n'ajoute jamais de sel. Viennent ensuite les phases de découpage du caillé et du brassage : le fromager, à l'aide d'un « tranche-caillé », découpe le caillé en très petits grains, puis, pour assurer une bonne répartition des grains dans le sérum (petit lait), effectue le brassage sur le feu — jusqu'à 55 °C et pendant environ 1 h 40. Ces opérations achevées, on « tire » le fromage avec une toile de lin qui lui laisse son empreinte. Celui-ci est ensuite installé avec précaution dans le « cercle » pour y être pressé et retourné : le sérum s'écoule. Vingt-quatre heures plus tard, la meule de comté est placée dans les caves. Tous les deux jours, un fromager viendra la frotter avec un linge imprégné d'eau salée et la retourner. Au bout d'un mois, la meule est prête pour suivre sa longue maturation dans la cave d'affinage. Le délai de fabrication est de 4 mois au minimum. ■

La secrète Valserine

Au pied de la chaîne qui aligne, à cheval sur la Suisse et sur le département de l'Ain, les sommets les plus élevés du massif jurassien, s'étire le cours capricieux de la *Valserine,* un torrent qui, né dans les prairies de Valmijoux, s'en va à la rencontre du Rhône à Bellegarde-sur-Valserine, 50 km plus loin et 1 000 m plus bas. Sur sa rive gauche l'accompagnent donc les monts du Jura : le mont Rond (1 614 m), le Colomby-de-Gex (1 689 m), le crêt de la Neige (1 723 m), point culminant du Jura, le Reculet (1 717 m) et le Grand Crêt d'Eau (1 621 m). Sur sa rive droite lui fait cortège une chaîne hérissée de crêtes et dominée par le crêt de Chalame (1 545 m). Ce sont là autant de buts d'excursion, autant de belvédères offrant des vues

)ans la verdure du val du Saugeais, ıu bord d'un Doubs paresseux, Montbenoît et le clocher moderne le la vieille église abbatiale.

ımandaient la cluse de La Cluse-et-Mijoux. Édifice trapu assis sur oc, le *château de Joux* est l'œuvre de dix siècles. C'est à partir Xᵉ siècle que les barons de Joux élevèrent les cinq enceintes cessives qui protègent le donjon. Redoutable sentinelle que cette eresse, aux propriétaires de laquelle il fallait « graisser la patte » : sant par là, voyageurs, pèlerins et marchands étaient soumis à e et à péage..., lorsqu'ils n'étaient pas détroussés et pendus. Sous ıcien Régime, le château devint prison d'État. Mirabeau, que rsuivaient de tenaces créanciers, y fut pensionnaire à la demande on père, en 1775. « Un nid de hiboux égayé par une compagnie valides », ainsi décrivait-il avec humour l'austère forteresse. Mais 'y resta qu'un an, le temps de séduire la jeune épouse du gouverneur, le marquis de Monnier, et de s'enfuir avec elle. Moins heureux y fut Toussaint Louverture, le « libérateur » de Saint-Domingue, que fit capturer Bonaparte : il vint y mourir de tuberculose et d'ennui. Mais combien d'autres échouèrent dans ces cachots haut perchés? Ils furent nombreux si l'on se réfère au puits-citerne qu'ils furent contraints de creuser et qui est le plus profond (120 m) et le plus large d'Europe. Le fort servit de garnison aux heures troubles et sa dernière campagne militaire date de 1871 : il protégea la retraite de l'armée de Bourbaki vers la Suisse. Il est désormais transformé en musée, réunissant de belles collections d'armes.

Au pied de cette vigie, la trouée de *La Cluse-et-Mijoux* est un des plus beaux exemples de cluses qui soient. L'entaille, dans la

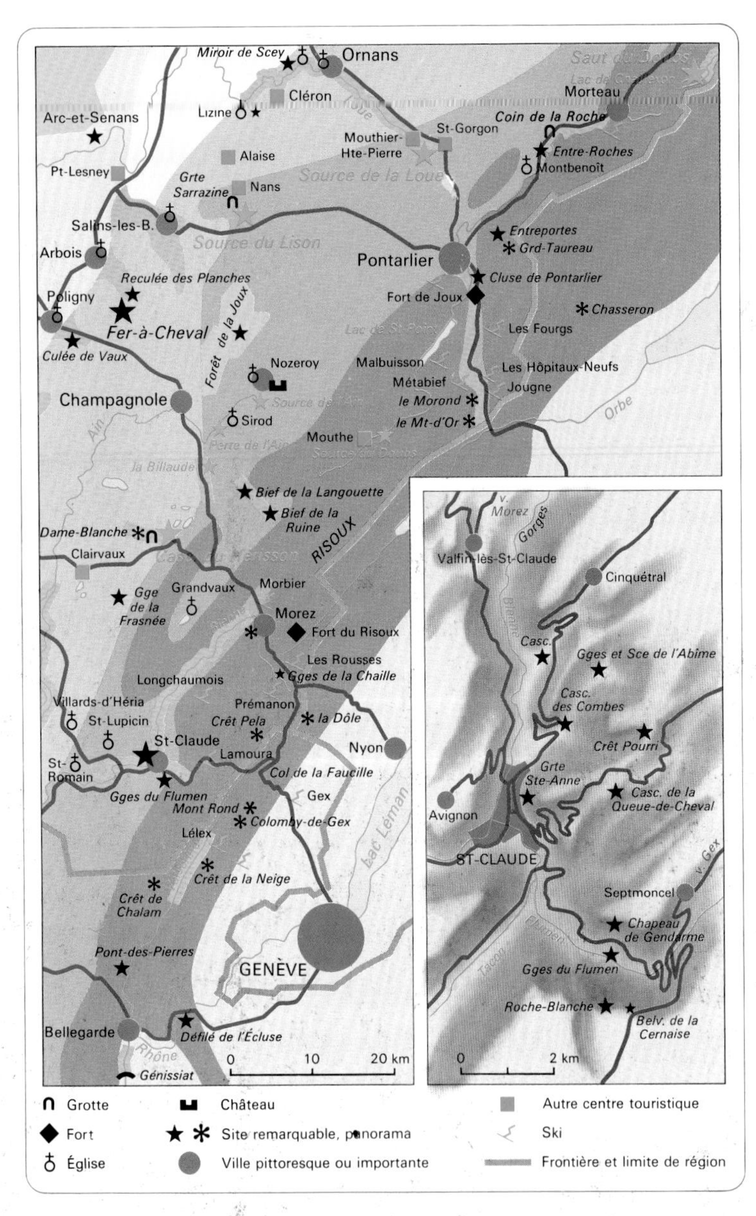

montagne du Larmont, est si étroite qu'elle ne laisse passage qu'à la route et à la voie ferrée. Le Grand-Taureau, point culminant du lieu avec ses 1 323 m, est l'un des belvédères réputés du Jura. Il a le mérite d'être accessible aux voitures presque jusqu'à son sommet, bien que cette entreprise soit rendue difficile par le mauvais état de la route. Aussi préférera-t-on sans doute aller goûter la fraîcheur du *défilé d'Entreportes,* une autre cluse au cadre plus agreste grâce aux prairies qui la tapissent et aux sapins qui peuplent ses versants.

De Pontarlier, après s'être arrêté dans l'une des distilleries qui produisent des apéritifs anisés ou à base de racines de gentiane, on peut gagner le *lac de Saint-Point,* le plus grand des 82 plans d'eau que compte la Franche-Comté : 600 ha, 6,3 km de long et 800 m de large. Une légende veut qu'il ait été créé pour engloutir une ville qui avait refusé aumône à une femme et à son enfant. Entouré de croupes boisées, bordé de villages souriants, dont *Malbuisson,* ce lac qui calme le Doubs est aujourd'hui le paradis des sports nautiques et de la pêche (brochets, gardons, tanches, truites, perches). Un havre de calme et de beauté dans un paysage apaisé.

Et pourtant la vraie montagne est proche : avec le *Mont-d'Or* (1 460 m), perchoir qui, du belvédère des Chamois, permet au regard de pénétrer dans la vallée de Joux, de s'égarer vers les lacs suisses et les Alpes; avec le *Morond,* dôme de 1 419 m, d'où l'on aperçoit la nappe de Saint-Point et celle de Neuchâtel. Les flancs de ces cimes sont le fief de la gentiane et du ski. À leur pied, des stations de sports d'hiver : *Jougne, Les Hôpitaux-Neufs* et *Métabief, Les Longevilles-Hautes, Les Longevilles-Mont-d'Or, Rochejean,* qui se sont associées en un vaste complexe : *Métabief-Mont-d'Or* (1 000-1 465 m), goûté, l'été aussi, par les amateurs d'air pur et de silence.

grandioses sur le pays de Gex, le lac Léman, les Alpes et la contrée jurassienne.

Entre ces hautes cimes, la Valserine s'est gravé une vallée pittoresque dont la route épouse les fantaisies, de Mijoux à Bellegarde-sur-Valserine. Elle coule d'abord à travers bois et sa pente est relativement faible. Voici *Mijoux,* au bas du col de la Faucille, aimable station de sports d'hiver et centre estival apprécié, connue pour son industrie lapidaire. En aval, la Valserine garde son allure paisible au milieu d'un paysage verdoyant de prés et de bocages, semé de fermes et de chalets. Puis elle arrose *Lélex,* étalée au pied des versants, parés de sapins et de hêtres.

Là s'achève le *Valmijoux* — ainsi appelle-t-on la partie supérieure de la vallée. Une longue gorge encaissée commence : le *défilé de Sous-Bal* Sur 5 km, entre le crêt de Chalan et le Reculet, la rivière se fraye u chemin entre des escarpements s lesquels les pluies exercent leur travail de sculpture. Au-delà de *Chézery,* reposant centre de villégiature, la route offre de bea aperçus sur les gorges qu'enjamb 60 m, l'audacieux *pont des Pierre* dont la seule arche est large de 8 La Valserine, pleine de fougue, s'accroît, par temps pluvieux, de l'eau de cascades qui ravinent les parois. La vallée s'élargit ensuite Le lit a 41 m à l'endroit de la *pert la Valserine,* site curieux façonné par l'érosion : les eaux torrentue ont creusé dans le calcaire des « marmites » *(oules)* et d'étroites fissures par lesquelles elles s'insinuent, masquées un instant regard. ■

Une abbaye et un « jésus »

Au-delà de Pontarlier, le *val du Saugeais* abrite le cours supéri du Doubs. Ce pays où la rivière flâne au milieu de la verdur conservé une forte individualité. Il est l'œuvre de moines coloni teurs qui y établirent des granges et plus tard des prieurés. Un cert Benoît y fit souche et donna son nom à la petite capitale ecclésiale *Montbenoît,* bâtie au pied de hautes parois rocheuses. Des moi augustins du Valais édifièrent au XIe ou au XIIe siècle une abbaye q au cours des siècles, gagna en richesse ce qu'elle perdit en sages Montbenoît ne fut jamais principauté monacale; elle resta sous suzeraineté des sires de Joux, qui, pour marquer leur autor venaient, à chaque élection d'un nouvel abbé, la gouverner journée durant. Subissant le même déclin que Saint-Claude, tomba en commende au XVIe siècle : les abbés touchaient les reve sans être tenus à l'état religieux. L'un de ses abbés les plus conn Ferry Carondelet, se montra généreux mécène en faisant reconstru le chevet de l'abbatiale et en la dotant de belles œuvres d'art.

Au fil de la visite, on découvrira l'église : un chœur gothi flamboyant dont la voûte est parée d'une résille de nervure pendentifs et ornée de peintures; des stalles de chêne, sculptées a une grande finesse; une niche abbatiale finement décorée; une ch de style Louis XIV et une Vierge en bois polychrome. Puis la s capitulaire où se réunissaient les moines, la cuisine, large salle voû dotée d'une vaste cheminée où étaient fumés jambons et saucisses cloître, enfin, soutenu par des arcades à doubles colonnes portant riche iconographie, en partie vieille de 800 ans.

Non loin, au nord-est de Montbenoît, *Morteau* eut des moines p parrains et se forma autour d'un prieuré. La route qui y mène serre près le Doubs au pied d'un versant abrupt. Pour prospérer, la cit choisi de vertes prairies dans un val assez large, où la rivière pr ses aises avant d'aller culbuter au saut du Doubs. C'est une v jeune : elle a en effet été reconstruite après l'incendie de 1865. M fort heureusement, échappèrent au désastre l'église des XIIIe XVIIe siècles, l'ancien prieuré du val de Morteau et la ma Pertuisier. Morteau est un endroit fréquenté par les touristes en q de franches agapes. La spécialité gastronomique la plus connue le « jésus », cette saucisse fumée dont on garnit les potées. charcuterie a donc droit de cité, mais elle s'accompagne d'activ tout aussi florissantes : l'horlogerie et le sciage du bois. Connue s le nom d'« Aigues-Mortes de la Montagne », Morteau, à l'image toutes les autres agglomérations, laisse deviner ce que fut la téna sans faille de la population jurassienne. La visite du haut J commencée dans la sévérité, poursuivie dans l'austérité, débouche le sourire d'une nature discrète, mais jamais renfermée.

le Jura des gorges et des eaux vives

◄ *Le belvédère de la Cendrée, un éperon rocheux surplombant la vallée du Doubs.*

*« On n'a pas idée dans le Midi
de cette délicatesse virginale et de cette fraîcheur universelle;
il n'y a rien ici qui ne rie et qui ne vive, tout est vert... » (Taine).*

erdoyant Jura des bois
es pâturages
irons de Foncine-le-Haut).

Nappe tranquille ▶
enchâssée dans la forêt,
le lac de Bonlieu.

◄ *Maisons en encorbellement sur eaux vives : Lods, au débouché des gorges de la Loue.*

▲ *Sur une rive de la Loue apaisée, le vieil Ornans du quartier Nahin.*

Sises près des sources,
au creux des vals où les rivières s'assagissent,
au bord des lacs, parmi vertes prairies et sombres forêts,
les paisibles cités comtoises ont su conserver leur visage d'antan.

Dans la forêt ▶
jurassienne,
le sapin est roi.

Un sentier ▶▶
qui serpente sous bois
mène à la grotte
d'où jaillit la Loue.

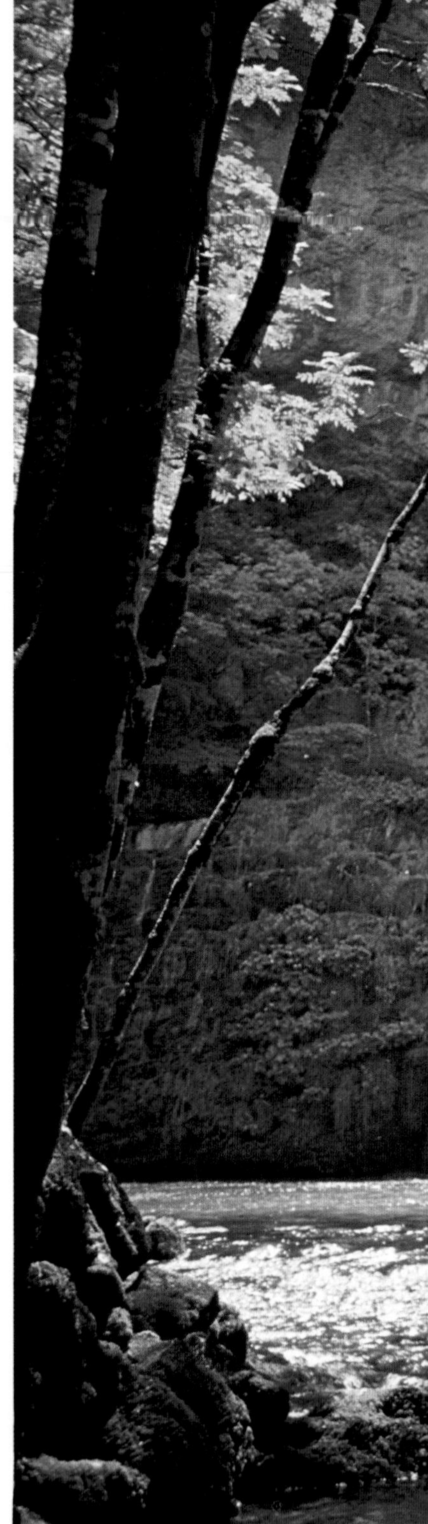

À sa source, le Lison ▲
s'épanche
en flots abondants
dans un large bassin.

◄ *Larges de 4 m*
et profondes de 40,
les gorges de
la Langouette
entaillées par la Saine.

Le Hérisson bondissant ►
à la cascade
du Grand Saut.

Dans ce vert pays, l'eau est partout présente.
Elle sourd de tous côtés,
serpente au fond de gorges étroites,
s'étale en nappes tranquilles,
disparaît pour resurgir en cascades,
s'infiltre ou s'engouffre sous terre,
dans un mystérieux labyrinthe.

La Billaude : à l'étroit entre des parois abruptes, ►
la Lemme s'écoule en deux cascades successives.

De chute en chute, avant de disparaître ►►
dans un chaos rocheux : la perte de l'Ain.

▲ *Dans la belle vallée de la Loue aux versants tapissés de verdure, Ornans, chère au peintre Gustave Courbet.*

Des paysages soignés, comme jardinés avec minutie, et soudain un site grandiose qui semble s'offrir à l'état brut; un manteau de prés-bois paisibles que brutalement une falaise déchire d'un coup de sabre; la verdure lumineuse des clairières et tout à côté le sombre mystère des grottes, l'aridité des sols rocheux; au creux d'une cluse, le frémissement d'une onde, le fracas d'une cascade, des eaux qui jaillissent avant de disparaître : les plateaux du Jura savent ménager la surprise et passer du débonnaire et du domestiqué au fougueux et au sauvage.

Au royaume des arbres et des eaux

Entre le vignoble, à l'ouest — le «bon pays» qui descend vers les rives du Doubs et de la Saône —, et la montagne, à l'est, dont les crêts et les monts gardent la frontière d'avec la Suisse, s'étage le domaine des plateaux. De 400 à 900 m, ces grands entablements calcaires déploient leurs horizons de forêts et de prés, de roches et d'eaux. La forêt forme d'imposants massifs, tels ceux de Levier, de Poligny et, surtout, le fameux ensemble domanial de la Joux. Entre les étendues forestières, un défrichement séculaire a ménagé les prés-bois, bucolique alternance de prairies et de bosquets qui confèrent à ces pentes aux courbes molles un charme pudique. Dans la prairie pâturent des troupeaux qui donnent au Jura le lait pour son prestigieux «comté».

À vrai dire, cet univers verdoyant et quiet, aux formes douces, pourrait paraître monotone, n'étaient les gorges qui l'entaillent. Les rivières se sont creusé des passages en canyons *(clues* ou *cluses)* dont les hautes falaises brisent tout à coup un horizon trop plat. Par endroits, le calcaire absorbe tout ou partie d'une rivière, pour la restituer plus loin au fond d'un défilé ou au pied d'un à-pic par une impressionnante résurgence. Ici, au fond d'une immense tranchée sinueuse, les eaux vont de bouillonnants rapides en calmes «miroirs» — un paradis pour les amateurs de canoë-kayak. Là, le monde tourmenté et obscur des profondeurs souterraines : dans le secret des assises calcaires, un imposant réservoir, fait de ramifications et de galeries, insoupçonnable depuis la surface, sauf par quelques gouffres.

La Loue, légende et réalité

De toutes les vallées jurassiennes, celle de la Loue est sans doute la plus pittoresque et peut-être la plus belle. Rien d'étonnant à ce qu'elle ait été aimée des peintres et des artistes. Presque impénétrable jusqu'au haut Moyen Âge, elle fut découverte et défrichée par des moines. Les seigneurs rivalisèrent ensuite pour y imposer leu domination, et certains y établirent leur résidence d'été : les comte de Bourgogne s'installèrent à Ornans. À l'annexion de la Franche Comté à la France, sous Louis XIV, les riches châteaux furen détruits. Aujourd'hui les fantaisies de cette vallée aux soudain détours, la glissade des eaux en rapides, la multitude des merveille qui jalonnent ses rives attirent à la Loue les fervents de canoë auxquels, de Mouthier-Haute-Pierre jusqu'à sa rencontre avec Doubs, elle offre un parcours plein d'attraits.

La source de la Loue est l'un de ces «grands spectacles» de nature chers aux poètes romantiques. Elle équivaut aussi à plonge dans le mystère des légendes jurassiennes. Dans le cadre grandios d'un cirque rocheux, «l'œil de la Loue» se révèle en effet comme u coup de théâtre : sous une imposante voûte de pierre surgit un fl impétueux et limpide. Les eaux jaillissent de terre, s'écrasant ave violence de toute la hauteur des six strates géologiques qui serve d'assise à ce bout-du-monde. Dressée à environ 100 m, la falais multiplie les échos de ce vacarme et la roche elle-même semble vibre

Il est dans ce site une sorte de secret que la légende s'est appropri puisqu'elle en a fait le domaine de la Vouivre. Mais, à l'heur actuelle, l'origine des eaux de la Loue a perdu de son mystère. O n'ignore plus qu'il s'agit d'un soutirage conjoint du Drugeon et d Doubs. Cette communication avec le Doubs fut décelée au cou d'une expérience aussi célèbre qu'involontaire. Le 11 août 1901, foudre, s'abattant sur l'usine Pernod à Pontarlier, provoqua u incendie qui fit exploser les réservoirs d'absinthe. Le surlendemain, Loue prenait l'odeur et la couleur du Pernod. La capture du Doub par la Loue était démontrée. En 1910, 100 kg de colorant vert jet par E. A. Martel dans un puits ouvert dans le lit du Doubs, en aval d Pontarlier, coloraient à leur tour la Loue, prouvant ainsi l'existenc d'une fissuration souterraine étalée sur 15 à 20 km. Des recherch ultérieures ont apporté des précisions sur le tracé de ces aqueduc souterrains.

Le touriste, pour sa part, se contentera de savoir que cet tuyauterie naturelle s'étire sous ses pieds. Peut-être les comb boisées et calmes du plateau lui paraîtront-elles alors moins paisibles

Après une naissance aussi spectaculaire, la Loue tient s promesses. Jusqu'à Mouthier-Haute-Pierre, sur quelque 6 km, el roule de cascade en cascade, emprisonnée entre les deux muraille hautes de plus de 200 m, des superbes *gorges de Nouailles.* Au fil de route qui la longe sur sa rive droite, des belvédères offrent de bell perspectives sur les profonds méandres. Au niveau de l'ea torrentueuse, les falaises étagées, les petits replats boisés, régularité des corniches et l'étroitesse du défilé prennent leu véritables dimensions. Et, dans ces gorges sauvages, le promene

a vie
es plateaux jurassiens

D'un coin à l'autre des plateaux, e petits bourgs rustiques et olitaires composent une texture rbaine assez lâche. Dans cette égion, en effet, le climat manque de émence : l'hiver est rude, le rintemps se fait attendre, l'été a ses aprices. Seul l'automne apporte égulièrement douceur et légèreté à air. L'habitat est donc calfeutré, olidement accroché au sol, et tassé ır lui-même afin d'offrir au vent le oins de prise possible.

Comme la maison germanique ont elle dérive, la demeure rassienne est vaste, destinée à briter tout un groupe social, parfois usieurs familles. Son toit à double ente, couvert de bardeaux ou ardoises, abrite la grange, dont la réserve de foin constitue un précieux isolant. Il coiffe d'innombrables corridors, chambres et appartements, un vrai petit monde replié sur lui-même et qui se protège du froid, de l'humidité, du vent par des murs épais, des doubles fenêtres et d'énormes fourneaux de faïence. Vaisseliers, horloges, armoires, maies, tables rendent ces intérieurs accueillants. L'étable jouxte l'habitation des hommes pour que bêtes et gens puissent se tenir chaud l'hiver. Sur la façade que protège un auvent pendent les harnais et la quincaillerie laitière.

On ne dira jamais assez la lourdeur rassurante de ces maisons comtoises, à la fois gaies et graves, dans un paysage d'eau et de verdure, où les combes succèdent aux combes, les bois aux prairies. ■

Le « maître d'Ornans »

« Pour peindre un pays, il faut le connaître. Moi, je connais mon pays, je le peins. Ces sous-bois, c'est chez nous; cette rivière, c'est la Loue; allez-y voir, et vous verrez mon tableau. » Nul, en effet, ne sut mieux que Gustave Courbet restituer la beauté champêtre, le charme profond de ce coin du Jura. Ses paysages de la Loue, du Puits Noir, ses sous-bois qu'habitent chevreuils et cerfs respirent les parfums des arbres et des eaux. Traductions intimes d'une nature avec laquelle le peintre a toujours su garder le contact. Par-delà les vicissitudes d'une existence agitée, par-delà les tumultes de sa propre personnalité, il parvint à exprimer le calme et la douceur des horizons de sa province.

Certes, il les connaissait fort bien. Né à Ornans en 1819, fils de gros propriétaires terriens, Jean Désiré Gustave Courbet choisit très tôt la peinture, renonçant à la carrière du notariat à laquelle il était destiné. Ce qui l'intéressait en matière picturale : la réalité. « Être à même de traduire les mœurs, les idées, l'aspect de mon époque, selon mon appréciation; être non seulement un peintre, mais encore un homme; en un mot, faire de l'art vivant, tel est mon but. » L'univers de son enfance, sa famille lui apportèrent une matière inépuisable. Mais ses œuvres déchaînèrent des tempêtes. Elles choquaient à la fois les classiques, fidèles disciples de Monsieur Ingres (qui disait de Courbet : « C'est un œil »), et les romantiques, fougueux partisans de Delacroix.

→

Le cours paisible de la Loue au milieu des prairies et des bois (environs de Lizine).

silencieux pourra peut-être observer grues ou canards, car c'est là une zone de repos et d'abri pour les oiseaux migrateurs.

Au fond de cette puissante entaille, le voisinage des rivières souterraines est sensible. Non loin de l'usine hydroélectrique de Mouthier, la *source du Pontet* jaillit d'une caverne entourée de verdure, au flanc droit de la gorge. À une trentaine de mètres au-dessus de sa gueule, un autre orifice, caché derrière la Roche du Moine, perce aussi la falaise : la *grotte de la Vieille-Roche,* trop-plein de crue du Pontet souterrain; un couloir encombré de laisses d'eau s'enfonce dans les profondeurs du calcaire. La provenance de ces eaux se situe dans les multiples fissures et pertes qui émaillent la surface du plateau. Dans l'un de ces orifices, le *puits de la Légarde,* où il a été possible de descendre à 180 m sous terre, on peut même observer l'un de ces cours d'eau souterrains tributaires du Pontet. Plus haut, vers le front du plateau, la résurgence de la *Grange de la Baume* restitue un autre cours d'eau enfoui. Les eaux tombent en chute par la belle *cascade de Syratu.*

Tant de rivières à éclipses, tant de sauvage grandeur, tant de mystère ont depuis toujours inquiété les habitants du pays. Aussi les bénédictins élevèrent-ils ici, au Moyen Âge, un monastère rassurant, apportant à cette terre la culture de la vigne et surtout celle du cerisier. Le souvenir de l'abbaye, aujourd'hui disparue, subsiste dans le nom même de *Mouthier-Haute-Pierre,* le bourg établi à son emplacement, au débouché des gorges de Nouailles dans un riant bassin que parent vergers et prairies. D'imposants rochers le dominent, la Roche de Hautepierre (882 m) notamment, sommet de la région, du haut de laquelle la vue embrasse le plateau, le cours de la Loue, et porte jusqu'aux Vosges et aux Alpes, par temps clair. Construite en hémicycle sur les pentes, Mouthier conserve de son passé vénérable de pittoresques maisons, et aussi une jolie église du XVIe.

Dans le terroir de Courbet

Au-delà de Mouthier, la vallée commence à changer de visage. En amont, les reliefs tourmentés; en aval, la noble ordonnance des paysages symétriques. Les petits bourgs de *Lods,* de *Vuillafans* et de *Montgesoye,* avec leurs demeures anciennes, offrent des sites charmants, au bord d'une rivière déjà assagie, sur laquelle, désormais, règne en suzeraine la petite ville d'*Ornans,* non loin de là. La Loue, majestueuse, la traverse d'un bief calme entre deux lignes de maisons sur pilotis. Ce « miroir » fluvial, où l'on contemple (depuis le Grand Pont) un décor inversé, à la fois réaliste et virtuel, est sans doute le plus beau fleuron de cette cité qui, pourtant, s'enorgueillit aussi de quelques monuments : l'église, reconstruite au XVIe à partir d'un

▲ *La Loue coule entre la double rangée des vieilles maisons d'Ornans.*

L'une des plus célèbres de ses toiles, *l'Enterrement à Ornans* (1849), traduit les trois inspirations qui animèrent l'artiste tout au long de sa vie : le réalisme, la révolte contre un certain ordre établi et un sens aigu de la nature. C'est là un véritable manifeste : paysans, bourgeois, membres du clergé n'ont pas de visages mais des trognes, des têtes de faux témoins, des expressions troubles ou pas d'expression du tout.

Plus tard seulement, la révolte se fit politique. En 1871, Courbet prit part à la Commune et proposa de faire déboulonner la colonne Vendôme — ce qui lui valut, lors de la répression, d'être tenu responsable de la démolition de cette colonne. Frappé par le conseil de guerre de six mois de prison et 500 francs d'amende, interné à Sainte-Pélagie, il fut en outre condamné à rembourser les 323 000 francs-or qu'allait coûter l[a] remise en place de la colonne. Ruiné, ne pouvant plus exposer c[ar] le Salon lui retournait ses toiles sa[ns] examen, le peintre s'exila en Suiss[e] ou prés verdoyants et eaux vives l[ui] rappelaient son sol natal. Il mouru[t] dans la misère à La Tour-de-Peilz, près de Vevey, en 1877.

« Moi qui crois que tout artiste doit être son propre maître, je ne puis pas songer à me constituer professeur. » Et pourtant on fit de le chef de file de l'« école réaliste » oubliant souvent qu'il ouvrit en fa[it] la voie à l'impressionnisme. Son œuvre, maudite en son temps, a acquis aujourd'hui une juste notoriété. Et rares sont ceux qui, visitant le Jura, n'effectuent pas u[n] pèlerinage dans le pays de Courbe[t].

édifice roman; l'hôtel de ville, du XVIIIe; l'hôtel de Grospain, du XVe.

La noblesse de ces vieilles pierres trahit le riche passé d'Ornans. Dès 1244, une charte, concédée par le souverain de la Franche-Comté, précise que la ville est administrée par un « magistrat », l'équivalent de notre conseil municipal. Le maire, les quatre échevins et les douze jurés sont élus chaque année par les chefs de famille âgés de plus de 25 ans. La ville, dotée du droit d'asile, assure sa défense par l'entretien d'une milice qui tient garnison dans le château, un édifice d'ailleurs tant battu par les vents que ses tours y sont alors désignées sous le terme réaliste de « froidcul ». Ces défenses ne suffisent pas à arrêter l'invasion des Suédois de Bernard de Saxe-Weimar, lors de la guerre de Trente Ans. Sur les 8 600 âmes que comptait Ornans et ses environs, on ne dénombre que 1 530 survivants!

La capitale de la vallée de la Loue se flatte aussi d'être le berceau de plusieurs célébrités. Au XVe siècle, cette petite ville a donné le jour à Nicolas Perrenot, seigneur de Granvelle, chancelier de Charles Quint. Deux siècles plus tard, un autre enfant du pays et capitaine du château, Pierre Vernier, devient l'inventeur de l'appareil de mesure qui porte son nom. Et, surtout, Ornans est la patrie de Gustave Courbet, qui a merveilleusement su rendre dans ses toiles l'atmosphère des paysages de la Loue.

En aval d'Ornans, la Loue s'est gravé un lit, tout de méandres et d'arabesques. Les murailles entre lesquelles elle serpente demeurent hautes, mais sans âpreté. Volontiers, les eaux tranquilles forment lac, comme au « miroir de Scey », où se reflètent les ruines du château féodal Saint-Denis. La rivière dirige encore sa course vers l'ouest, puis, après s'être augmentée du Lison, elle reprend sa direction première. Le Doubs n'est plus très loin, qu'elle va approvisionner de ses eaux. Et pourtant le relief la détourne brutalement vers le sud au niveau de Quingey. Ce n'est qu'à Port-Lesney, au contact de la plaine, qu'elle semble accepter son destin.

Aux merveilles du Lison

Comparé à la Loue, avec laquelle il conflue en aval de Lizine, le Lison, à peine long de quelques kilomètres, fait de prime abord figure de petite rivière. Et cependant il n'a rien à envier à sa voisine. Sa source, son cours capricieux réunissent l'un des plus beaux ensembles de curiosités naturelles du Jura. De fait, la promenade aux *sources du Lison* est l'une des plus recommandables des plateaux.

Né dans la forêt de Scay, le Lison dévale en torrent et se perd tour à tour, abandonnant alors une vallée étrangement déserte. Celle-ci se fait bientôt gorges, que franchit le Pont du Diable. Et, non loin, dans

Les gorges du Doubs : entre des falaises boisées, les bassins sinueux ▼ *du lac de Chaillexon.*

le cirque du *Creux Billard,* en saison de pluie, tombe une cascade; [en] période sèche, ce vaste puits d'effondrement, profond de plus [de] 50 m, laisse deviner des suintements au front de ses parois. Par u[ne] brèche s'échappe le filet d'eau descendu de la combe du Lison-[d]… Haut. Les eaux disparaissent dans le chaos qui obstrue le fond

À Ornans, on peut encore voir la aison où naquit l'artiste — dont la mbe est au cimetière —, l'atelier ı fut composé *l'Enterrement à rnans* et ce qui fut son dernier elier. Une salle de l'hôtel de ville rite le musée Courbet, qui nferme quelques toiles, dessins et uvenirs du maître d'Ornans. À xtérieur du musée, le panorama nouvelle ce « bois de Courbet avec pénombre verte, ses sombres uillages étendus sur les cailloux et s ruisseaux », comme le souligne si en Élie Faure.
On peut aussi se rendre à *Saules,* l'église contient une belle œuvre Courbet, consacrée à saint icolas, à *Flagey,* où la famille ourbet possédait une maison, et ıser, en aval d'Ornans, dans cette llée de la Brême dont les sites uvages inspirèrent le peintre. ■

▲ *La source du Lison : au fond de sa reculée, la résurgence s'étale dans un bassin.*

eux. La communication entre le Creux Billard et la source du Lison té tragiquement établie en 1889, par suite de la chute d'une jeune e dans les interstices du chaos; son cadavre déchiqueté fut rejeté la résurgence qui, au fond de sa reculée, jaillit dans un cadre doyant sans aucune austérité. Dominé par des abrupts, le bel éventail de sa cascade sert de collerette à la bouche noire d'une caverne. L'impétuosité et le débit valent ceux de la Loue. Un ancien moulin, aujourd'hui en ruines, ajoute sa touche mélancolique à cet hémicycle. Un sentier monte à la grotte, où une berge limoneuse borde la nappe glauque du bassin naturel. Sur le côté, une grotte dans la grotte, munie de marches et de rampes, conduit à la *Chaire à prêcher* d'où l'on aperçoit le gouffre noyé, profond de 8 m, par lequel le Lison surgit.

En aval de la résurgence, l'œil est attiré par les proportions insolites d'une nouvelle grotte perçant l'à-pic de la rive gauche du Lison. Ce porche, haut de 90 m, est l'un des trois plus importants de France. La grotte *Sarrazine* qui le prolonge a été explorée sur 3 770 m. Une légende locale veut voir dans cette cavité le « manteau de Roland ». Mais il semble qu'il y ait eu là confusion de mots au Moyen Âge entre « espale », le manteau, et « espalle », la caverne.

Le Lison court, clair et jaseur, au milieu des cailloux, entre des rives aux doux ombrages, puis traverse le riant bassin de *Nans-sous-Sainte-Anne.* Cette petite agglomération, cernée de belles forêts de sapins et d'épicéas, a conservé le manoir Renaissance où se réfugia Mirabeau lorsqu'il s'évada du château de Joux — il y enleva Sophie de Ruffey, marquise de Monnier, sa jeune maîtresse; une aventure romanesque qui lui coûta, sinon sa tête, du moins une longue incarcération au donjon de Vincennes. Après ce répit, le Lison s'enfonce de nouveau dans des gorges, canyon profond dépourvu d'accès qui emprisonne le torrent et le conduit à la Loue.

Le Doubs des étroits et des défilés

Dubius, le Douteux, celui qui hésite sans cesse... Peut-on imaginer rivière plus jurassienne que ce perpétuel errant qui, de plis en failles, étire ses méandres et ses coudes brusques sur quelque 430 km, alors que, de sa source jusqu'à sa confluence avec la Saône, il n'y en a que 90 à vol d'oiseau? De détour en détour, de val en cluse, le Doubs décrit une vallée pittoresque, aux sites des plus variés. Ici, il semble s'engourdir, là il se réveille brutalement; ici, rivière de plaine, là torrent encaissé au fond de gorges resserrées. Chutes et nappes tranquilles s'égrènent au long de ce parcours accidenté.

Né à 937 m d'altitude, non loin de la Suisse, dans le val de Mouthe (il jaillit d'un trou ouvert au flanc d'une falaise de la forêt du Noirmont), le Doubs se perd peu après dans le lac de Saint-Point. Il en sort pourtant, puis, jusqu'au-delà de Pontarlier, il coule paisiblement entre de vertes prairies. Ce n'est encore qu'une maigre rivière. Mais, bientôt, il s'enfonce dans le *val du Saugeais,* dont les pentes, après Montbenoît, se referment sur lui en parois escarpées.

Lorsque vole la Vouivre...

Forêts inextricables et antres obscurs ont fourni aux Francs-Comtois matière à maintes légendes. Celles-ci traduisent à leur façon l'atmosphère lourde et insolite qui enveloppe la plus impressionnante des fontaines du Jura : la *source de la Loue.* Dans le folklore, l'« œil de la Loue » passe pour abreuver la Vouivre. Ce monstre, qui inspira un roman célèbre à Marcel Aymé (1943), serait un grand serpent ailé, proche parent du dragon. Il ne sort que la nuit de Noël. Lorsque dans l'ombre froide retentit le premier des douze coups de minuit, il émerge soudain en silence du bassin. Il déploie ses ailes membraneuses et s'élance dans les airs. Son vol le conduit d'un trait jusqu'à la chaudière d'Enfer, vasque d'eau située en aval de la résurgence.

On assure que la Vouivre ne voit clair que d'un œil. Mais cet œil, aussi brillant qu'une étoile, n'est autre que la pierre philosophale, l'« escarboucle », que le monstre porte à son front. Pierre précieuse entre toutes, objet de multiples convoitises. Durant les douze coups, la Vouivre la dépose à côté d'elle pour se laver. C'est le moment propice où l'on peut risquer de s'en emparer. Mais malheur à qui manquerait son coup; le serpent ailé est impitoyable! Le jeu, pourtant, en vaut la chandelle : le détenteur de l'escarboucle deviendrait maître de toutes les richesses contenues dans la terre.

Ainsi l'imagination populaire traduit-elle l'obsession des profondeurs que nourrit le mystère des résurgences. ■

▲ *Pour les amateurs de kayak, le Doubs impétueux, dans le sauvage défilé d'Entre-Roches.*

Une spectaculaire chute, le fracas assourdissant des eaux sur les rochers : ▼ *le Saut du Doubs.*

Ici commence le *défilé d'Entre-Roches :* le Doubs, large et calme, serpente entre deux falaises hautes de 30 m, souvent en surplomb, et dont une multitude de sapins hérisse la crête. Sur la rive gauche, la *grotte du Trésor* se dissimule dans la forêt de sapins; son porche colossal atteint 50 m de haut et 74 m de large. Et, un peu plus en aval, au débouché du défilé, le Doubs longe une autre caverne deven chapelle : la *grotte de Rémonot,* où coule un torrent souterrain.

De Rémonot à Morteau, ensuite, la rivière recoupe obliqu ment un chaînon de calcaire qu'elle traverse par la cluse du *Co de la Roche.* Le défilé débute par une gorge rocheuse, et se te mine peu avant *Morteau* par un bief étroit que dominent des roch « en coin ». Sise dans un val verdoyant, la petite cité, rendue célèb par son « Jésus », est un agréable centre de villégiature. Tout comn *Villers-le-Lac* qui, à quelques kilomètres de là, voit le Doubs s'étal jusqu'à remplir la vallée. Ainsi est formé le *lac de Chaillexon.* nappe, longue de 3 km, large de 200 m, reflète les pentes douces les villages s'égaillent au milieu des prairies. Ses profondeu foisonnent d'ablettes, de brochets, de brèmes, de carpes, perches...

Mais cette paix n'est pas durable. À l'extrémité même du lac, l falaises se dressent de nouveau jusqu'à 100 m, enfermant la riviè dans les bassins, où elle semble muser. Ici, l'érosion s'est donné lib cours et leur forme insolite a valu à chaque rocher un no particulier : la Casquette, le Sphinx, le rocher de l'Écho. La visite lac de Chaillexon et des *Bassins du Doubs,* qui forment une seule même nappe, s'effectue en bateau, au départ de Villers-le-Lac. Ma l'automobiliste peut aussi contempler le site depuis des belvédère qui offrent d'intéressants panoramas.

Au sortir des bassins et pour atteindre le niveau de la combe au pi de la montagne du Châtelard, le Doubs doit effectuer le Sa curiosité majeure de son cours. La chute a 28 m de hauteur et, po peu que la rivière soit bien alimentée, le spectacle et le fracas so imposants. Ce superbe ensemble hydrographique est complété en av du *Saut du Doubs* par la retenue artificielle du barrage du Chatelo

Après ces intermèdes, le Doubs s'enfonce à nouveau dans d gorges, interminables celles-ci, et qui marquent la frontière entre France et la Suisse. Le visiteur curieux et l'amateur d'émotions fort iront en vérifier les splendeurs en escaladant les *Échelles de la Mo* Du haut de ce belvédère, la vue plonge sur la rivière coulant au fo d'un ample lit entre de vigoureux à-pics au front desquels pousse sapins et épicéas. Mais, pour gagner le belvédère, il n'est pas d'au moyen que d'utiliser les échelles métalliques accrochées à la cornic rocheuse. Très impressionnantes à la montée et plus encore à descente, ces échelles, bien que très sûres, rebutent nombre touristes.

Ceux-ci préféreront aller admirer les gorges du Doubs, depuis *belvédères de la Cendrée,* s'ils aiment marcher, ou se contenteront la vue qu'offre la *corniche de Goumois.* De Damprichard à Tréville la route permet d'apprécier le magnifique spectacle des gorges, 100 en contrebas. Les lacets de la rivière s'attardent entre deux versa

·eux grottes pour un défilé

Aux deux grottes qui s'ouvrent ıns les à-pics calcaires du défilé Entre-Roches, dans la haute vallée ı Doubs, la légende, l'histoire, la adition apportent leur note ırticulière. La première caverne, ·lle du *Trésor,* joint le mythe à la agédie. Sous ses voûtes, on stingue de nombreuses excavations ıites au siècle dernier par un paysan ıi voulait s'approprier le trésor du ·ragon. Il connaissait mal la gende! Certes, celle-ci précise bien ·'un terrible dragon a enfermé -dessous un trésor, mais elle ajoute ·e ce trésor fut récupéré jadis par ı chrétien et que, depuis, le Dragon ·ı le Diable, c'est tout un!) ne cesse exhaler sa rage par un sifflement ·i jaillit du tréfonds de la ·aume». En réalité, la grotte forme sifflet. À 110 m de l'entrée, sa galerie se divise en trois branches terminées par des siphons impénétrables dont les crues propulsent l'air et le font mugir dans les conduits. Au XVIIe siècle, lors de l'invasion suédoise, après que ceux que l'on appelle encore ici les « vilèn Suèdes » eurent égorgé 1 200 communiants dans le val de Morteau, la population de Rémonot, terrorisée, décida de se cacher dans la grotte au Trésor. Mais l'entrée, trop visible et d'accès trop facile, la fit tout de suite repérer. Les soudards du prince de Saxe-Weimar élevèrent un bûcher où 300 pères de famille furent brûlés vifs. En souvenir de ce triste autodafé, la grotte est inscrite à l'inventaire des sites et monuments historiques.

Quant à l'autre caverne, celle de *N.-D. de Rémonot,* elle est plus bizarre encore. Elle sert en effet d'église rupestre. Passé la grille, seule visible du dehors, on pénètre dans un curieux oratoire. Bancs, chaises, autel, candélabres sont disposés comme dans n'importe quelle église de village; mais des profondeurs que cache le tabernacle monte le bruit du cours d'eau souterrain. Un ruissellement provenant de la voûte, et qui passe pour guérir les maux oculaires, entretient une cascade de tuf sur la paroi rocheuse de la grotte. Lorsque la fonte des neiges fait déborder le bief, il faut se hâter d'enlever les chaises de la nef pour qu'elles ne soient pas abîmées par la crue. Derrière l'autel, une passerelle enjambe le torrent souterrain. Et l'on peut aller constater que ce ruisseau jaillit d'une voûte. Mais la galerie se prolonge au-delà de l'obstacle, comme l'ont contrôlé des spéléologues munis de scaphandres. La grotte de Rémonot, dédiée à la prière depuis le VIIe siècle, est aujourd'hui encore un lieu de pèlerinage très fréquenté.

La pietà en bois de cèdre qui surmonte l'autel aurait été sculptée dans un morceau de bois ramené d'Orient par un chevalier comtois parti pour la Terre sainte à l'époque des croisades, capturé par les Sarrasins et délivré après invocation de la Vierge. Une autre légende veut qu'une statue de la Vierge Mère se serait dressée dans cet oratoire souterrain depuis des siècles. Emportée par les moines augustins au couvent de Montbenoît, la statue serait revenue toute seule dans l'hypogée de Rémonot, manifestant ainsi la volonté de la Vierge d'être vénérée en ce lieu souterrain. ■

·ides et couverts d'une inextricable forêt. Au dernier détour, le oubs disparaît derrière les chaînons occupant l'horizon vers l'est... ·ant de pénétrer, pour un moment, en territoire helvétique.

« Consolation »

Du cirque de Consolation jusqu'à Saint-Hippolyte, la vallée du ·essoubre suit, sur les quelque 80 km de son parcours, une combe ·rallèle aux gorges du Doubs. Pour apprécier les splendeurs de ce val ·litaire, c'est à la *roche du Prêtre* qu'il faut les découvrir. Cette roche ·rplombe de 350 m le « Trou » (ainsi désigne-t-on dans le pays la ·uvage reculée de *Consolation*). La vue, très étendue, prend en filade la vallée du Dessoubre. On distingue fort bien la complexité ce cirque naturel où deux hémicycles se combinent. Des pentes ·isées de sapins noirs, couronnées de corniches calcaires qui ·teignent plus de 300 m, encadrent les structures ruiniformes de la ·che du Prêtre. À la base des parois, on aperçoit le filet argenté des ·urces qui convergent vers le centre de la reculée où s'étalent les ·timents du séminaire de Notre-Dame-de-Consolation. La visite du ·rque s'impose. On descend jusqu'au parc de l'ancien couvent bordé ·r une église de style jésuite. Du centre du parc, le panorama qu'on ·ıbrasse, avec ses redans de sapins noirs mêlés de quelques hêtres et ·s courtines de falaises, est d'une grandeur que les étendues ·nables du plateau ne laissent pas soupçonner. Le Dessoubre sourd pied d'un contrefort rocheux; résurgence qui fait pendant à la ·urce du Lançot. Celle-ci surgit d'une grotte où se réfugiaient les ·pulations durant la guerre de Trente Ans. La source Noire, la ·urce du Taboureau et la source du Val Noir complètent ce faisceau ·llissant, que concentre le Dessoubre.

Après bien des méandres, la rivière finit par aboutir dans le Doubs, Saint-Hippolyte. Près de ce bourg, quelques ruines signalent à ·ttention l'ancien château de la Roche (XIIIe s.). Sous ce château se ·simule l'entrée d'une des plus importantes cavernes de la région : *grotte du château de la Roche,* où furent recueillis des tessons de ·terie datant de la fin de l'âge du bronze. Au-delà, le couloir ·ıterrain se poursuit, entrecoupé de siphons.

Vu des 350 m de hauteur du belvédère de la roche du Prêtre, le cirque de Consolation ▼ *et le couvent blotti dans les arbres.*

Le beau sapin, roi des joux

‹ La forêt est le don le plus précieux que les dieux aient fait aux ·mmes » (Pline). De cette richesse, le Jura tabulaire fut fort bien ·urvu, puisque 40 p. 100 des surfaces sont couvertes de forêts. puis des siècles, les habitants tirent du bûcheronnage, de la scierie, de la boissellerie une bonne partie de leurs ressources. Du berceau d'écorce au cercueil de sapin, il faut reconnaître que la vie du Jurassien, jadis, n'avait guère d'autre décor! Comment d'ailleurs pourrait-il en être autrement dans ce Jura dont le nom même provient du bas latin *Juria,* terme qui désignait « une montagne boisée de

▲ *Se reflétant dans la Loue, le château féodal restauré de Cléron.*

La route des Sapins

De Levier à Champagnole, sur une cinquantaine de kilomètres, à cheval sur les départements du Jura et du Doubs, la route des Sapins décrit, à travers les massifs forestiers de Levier, de la Joux, de Chapois et de la Fresse, un merveilleux parcours. Cet itinéraire, organisé par l'Office national des forêts, est destiné à faire découvrir au promeneur les plus belles sapinières d'Europe (les arbres y atteignent jusqu'à 45 m de hauteur et jusqu'à 1,30 m de diamètre). Il vise en même temps à initier le visiteur à la forêt, à sa beauté, et à lui faire prendre conscience de la nécessité de sauvegarder l'aspect naturel de ces ensembles. Dans cette optique ont été aménagés des parkings, des zones de silence, des aires de jeux, des pistes cavalières, des sentiers balisés, des terrains de pique-niqu Animaux, plantes sylvestres, champignons, rendus à un milieu dont l'équilibre est préservé, ajoutent à l'attrait des promenade pédestres.

Sans compter que la route des Sapins a ses curiosités : les épicé du Roi de Rome, plantés en 1811 hauts de 40 m, les gros sapins du Coteau Magistral, les sapins Président de la forêt de Levier et celle de la Joux, les sapins géant la Glacière, d'innombrables point de vue, des sources... ■

Fontaine de Saint-Gengoul

À Montgesoye, un tuyau de fer planté dans un talus matérialise la fontaine de Saint-Gengoul. Cette

sapins»? Depuis que les ustensiles en métal et les tables en stratifié ont pris la place du mobilier de sapin, la forêt se fait moins obsessionnelle. Mais la vente des bois reste le grand événement local; et chacun ici sait reconnaître la marque carrée par laquelle le garde forestier désigne le *chablis,* l'arbre condamné à être abattu parce qu'il est sec ou abîmé. Personne ne confond non plus cette marque avec celle du garde général, dont les initiales A. F. (Administration forestière) indiquent les arbres sains qu'on peut abattre pour les vendre.

En dépit de sa large domination, le sapin n'est pas la seule essence des forêts du Jura. Une visite rapide dans les régions de Moirans, de Poligny, de Levier ou de la Fresse pourra convaincre le touriste le moins initié qu'il existe sur les plateaux deux sortes de bois, les feuillus et les sapins, mais point au hasard : les massifs boisés du premier plateau, le plus bas, sont peuplés de chênes, de charmes et de hêtres, tandis que, sur le deuxième plateau, plus froid, dominent les conifères (90 p. 100 de sapins).

Une promenade en forêt s'impose, et si possible dans la plus spectaculaire d'entre elles : la *forêt domaniale de la Joux,* dont le nom même signifie «sapinière», et qu'on devrait bien appeler simplement «la» Joux, car elle est la plus belle des sapinières de France. Avec ses 2662 ha de futaies régulières, où le sapin noir domine à 80 p. 100, elle donne l'impression d'une ambiance austère, froide et humide. Un réseau serré de routes forestières carrossables et de sentiers pédestres permet de s'aventurer dans ce décor pour contes scandinaves, où se dressent des géants solennels. Un long détour par l'Arboretum (plantation d'essai d'arbres inhabituels à la région) permet ensuite d'admirer le sapin Président, élu par un collège de forestiers, parce qu'il est le plus beau, le plus gros et le plus haut de la forêt — une fête célèbre l'avènement de chaque nouveau Président. Les mensurations de cette vedette actuelle sont les suivantes : 1,30 m de diamètre à la base, 50 m de hauteur, pour un volume de 23 m^3 et l'âge vénérable de plus de 250 ans. Mais, pour mesurer son prestige, il convient de le considérer d'assez loin, car son entourage le masque un peu.

Nozeroy et son plateau

Entre la montagne jurassienne et ce royaume des sapins, *Nozeroy* fait figure de havre, au cœur de son pittoresque plateau, domaine des pâturages. Bâti au sommet d'un tertre isolé, dominant la vaste étendue des prés-bois et des prairies, le village de Nozeroy conserve des vestiges d'un passé glorieux. Sa porte de l'Horloge, percée dans une tour à mâchicoulis, la tour arasée de sa porte Nods, les restes de remparts, les tours du Beffroy, ainsi que les vieilles maisons de la

Verdure et eaux mêlées : un résumé du Jura ▼ *(l'Ain à Pont-de-Poitte).*

Grande Rue reportent le touriste au temps où Nozeroy était un fief Jean l'Antique, sire de Chalon, que ses dons à la fois guerriers politiques rendirent maître réel sinon en titre de la Franche-Com Les ruines de son château se dressent encore à l'extrémité de l'épe sur lequel est construit le village.

À deux pas de Nozeroy, la nature multiplie les sites pittoresqu Ainsi, à partir de ce village, on peut gagner la cascade du *Moulin Saut,* un site justement réputé où la Serpentine forme lac avant de jeter du haut d'une falaise de 15 m au fond de la gorge. Non l aussi, à proximité de Conte, un chemin forestier conduit à la *source l'Ain,* autre pôle touristique de ce plateau. Un hémicycle calca couronné de sapins cerne l'ogive d'où jaillit la résurgence. Par ten taine a pourtant des mérites. Si en croit la légende, celui qui boit son eau est à l'abri des infortunes jugales. Le pouvoir de cette taine lui vient de son parrainage. ngoul, ou Gangulphe, seigneur rguignon du haut Moyen Âge, ffrit beaucoup de la légèreté de emme et fut tué par le complice 'infidèle. Il est le patron des mal iés. ■

refuge faux-monnayeurs

rottes et cavités souterraines t l'une des merveilles naturelles a Franche-Comté. Les éologues en ont fait l'un de leurs ains d'étude favoris. Martel, rnier, Robert de Joly explorèrent ntifiquement d'innombrables *baumes* (cavernes) et *emposieux* (gouffres), fruits d'une érosion pleine de fantaisie. Mais, bien avant leur visite, ces excavations n'étaient pas toujours méconnues. Les fuyards y trouvaient refuge, de même que, très curieusement, ... des faux-monnayeurs. Aussi la grotte de la Vieille-Roche, en amont de Mouthier-Haute-Pierre, dans la vallée de la Loue, est-elle affublée du nom moins respectable de « grotte des Faux-Monnayeurs ». Dans cette retraite bien cachée, qui s'ouvre au flanc d'une haute falaise et que masquent des éboulis rocheux, se seraient abritées des bandes de faussaires. Dès l'époque gallo-romaine? Toujours est-il qu'il y en avait au XVIIe siècle et que, dans cette officine secrète, furent mises au jour en 1970 plus de 400 pièces de monnaie, de périodes différentes. ■

▲ *Le plus profond des lacs jurassiens : le lac de Narlay.*

, on peut pénétrer dans le conduit souterrain sur une distance de m, mais sans oublier que la moindre pluie risque de noyer toute la rie. Peu après sa sortie de terre, l'Ain descend du plateau de zeroy à celui de Champagnole (plus de 100 m en contrebas) par une e d'accidents : des chutes et la perte de l'Ain. Le pont de mpagnole comme celui qui est à la sortie de Bourg-de-Sirod ent d'intéressants points de vue sur la vallée encaissée et les nières chutes. Un sentier forestier permet d'atteindre une passe- qui domine la perte. L'Ain s'y engouffre dans une gorge étroite, s une accumulation de rochers. Un clin d'œil plus qu'une dispari- ; mais, à la sortie de la « perte », la rivière offre le spectacle d'une cas- e, 17 m de hauteur sur 45 m de largeur, l'apothéose de ce site.

À la limite des plateaux de Nozeroy et de Champagnole, on traverse les crêtes de Syam à la faveur d'une vallée sèche : la cluse d'*Entreportes*. Par endroits, la largeur du défilé se réduit à 10 m, tandis que les falaises s'élèvent à 150 m. Au seuil de la gorge veillent de beaux rochers façonnés par l'érosion : les Dames d'Entreportes. Quant à Syam, son vieux moulin, près de la confluence de l'Ain et de la Lemme, ses forges, qui connurent leur période de gloire sous le premier Empire, tout cela a gardé son cachet et son pittoresque.

La visite de la haute vallée de l'Ain, encaissée et souvent tumultueuse, peut s'enrichir de quelques petits détours dans les couloirs que se sont taillés ses affluents. On pourra voir le cours fougueux de la Lemme dans un site austère où le roc se marie au sapin, ainsi que la cascade de *la Billaude :* dans un cadre boisé, dominé par de hautes falaises qu'en été embaument les cyclamens, la Lemme tombe en deux belles chutes. De même, on ne manquera pas la vallée de la Saine, étroite et bordée de parois escarpées, ni les gorges de la Langouette, affouillées à 40 m de profondeur par la rivière. Partout les escarpements calcaires vêtus du vert des sapins, les chutes, les cascades dégagent une douce impression de fraîcheur.

Les gorges de l'Ain

Il y a des sites dont il faut parler au passé. Notamment des belles gorges que l'Ain a creusées. Cet ensemble pittoresque jouit d'une réputation en partie périmée. Certes, du pont reliant Pont-de-Poitte à Patornay, on peut toujours admirer le *saut de la Saisse* où l'Ain, large ici de quelque 130 m, perd brutalement 18 m par une série de cascades et de rapides. Le spectacle qu'offre cette masse liquide pilonnant un lit rocheux et crevassé était jadis l'introduction magistrale aux gorges de l'Ain. Malheureusement, les besoins en énergie en ont voulu autrement. Aujourd'hui, la célèbre clue de la Pyle, qui occupait l'aval des chutes, est noyée par les eaux du *barrage de Vouglans.* Une calme et sinueuse nappe liquide — un des grands plans d'eau de France (1 700 ha) —, bordée d'éminences boisées de chênes, remplace la déchirure des méandres festonnés de falaises.

À quelque chose malheur est bon! Outre que l'on peut aimer ce nouveau site lacustre, les travaux préparatoires à la construction du barrage ont conduit à étudier, par précaution, les possibilités de fuites de la future retenue. On a scruté la fissuration du calcaire, et l'exploration spéléologique a révélé un curieux labyrinthe dont les 5,5 km s'étendent sous le territoire des communes de Menouille et de Cernon. Un gouffre, à proximité de ce dernier village, permet aussi d'accéder dans ces couloirs souterrains dont le développement fait de ce réseau le deuxième du département du Jura.

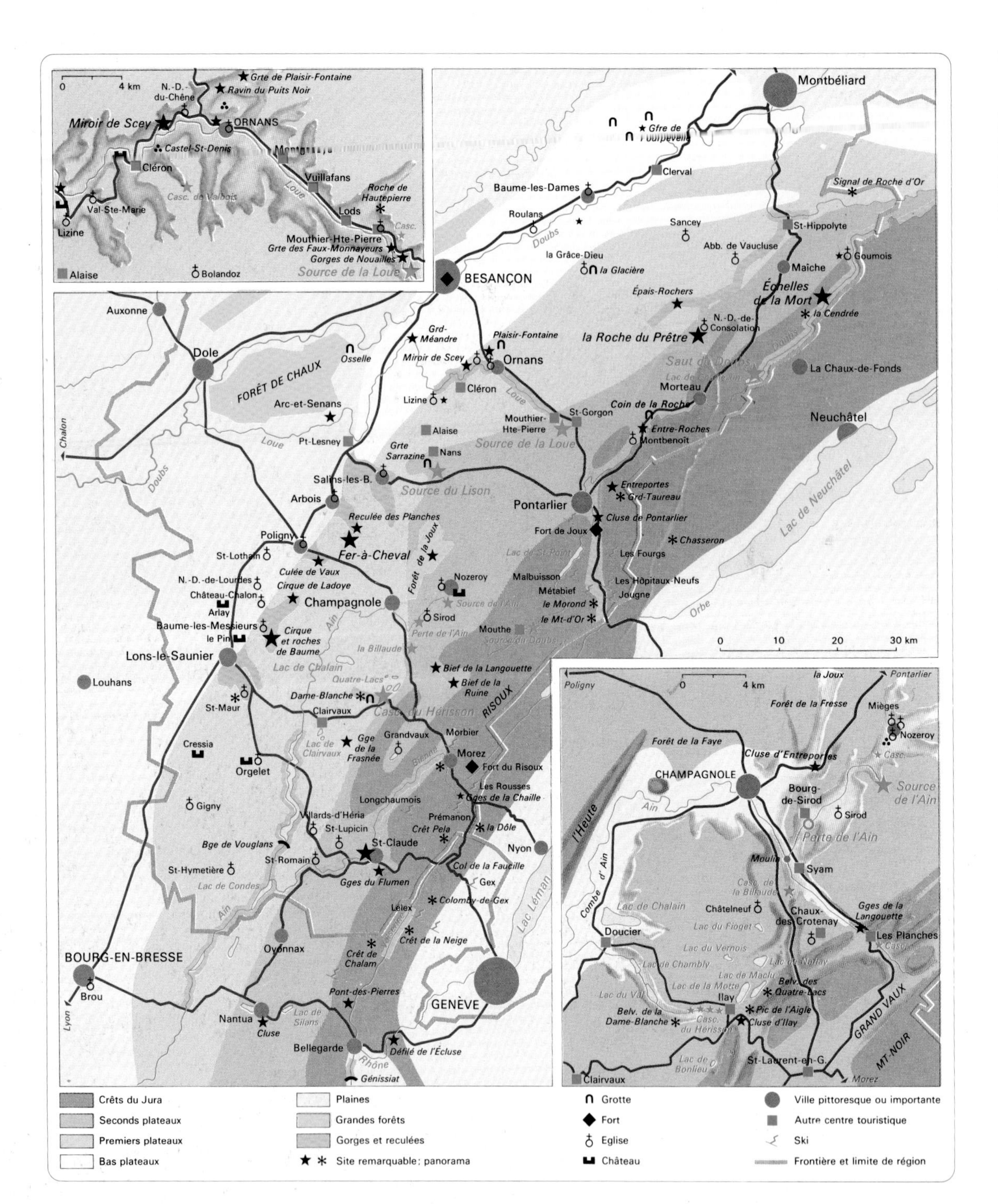

Un pays de bonne chère

Voisin de régions gastronomiqu par excellence comme la Bourgogne, le Lyonnais, la Bresse —, le Jura a lui aussi, en la matière, gagné ses lettres de noblesse. Du fait que dans ce pays montagneux l'eau est omniprésente, les poisso sont à l'honneur : truites et ombre barbeaux et brochets, que l'on se grillés, farcis, préparés au vin ou travaillés en quenelles. Les accompagnent fréquemment de succulents champignons (morilles chanterelles...), car ces merveille végétaux abondent dans les forêts jurassiennes. Leur parfum rehaus également fort bien le goût de la viande : volaille, ris de veau (que l'on accommode en timbale ou er croûte), gibier (ici fort varié).

Les grandes spécialités restent toutefois les *gaudes* et le *brési*. La première consiste en un potage à farine de maïs, auquel on ajoute crème, lait cru, beurre, sel ou suc à son gré, et que l'on mange cha ou refroidi. La seconde est de la viande de bœuf fumée dans les grandes cheminées des fermes du du Saugeais; elle entre dans la composition de la *potée*. Mais, si Francs-Comtois se sont fait une réputation de « mangeurs de gaudes », ils ont d'autre part imposé dans le domaine des « cochonnailles » des produits de qualité. Les jambons du haut Do les saucisses de montagne fumée genièvre et au sapin, telle celle d Morteau, sont aujourd'hui célèbr par-delà les frontières de la régio

Et, pour compléter un repas o vins et fromages occupent une p de choix, quelques douceurs don l'on est ici très friand : beignets fleurs d'acacia, pâtes de coings, pets-de-nonne, gâteaux de marro craquelins... Sans oublier un pet kirsch dont la vallée de la Loue secret. ■

Au pays des lacs

Au sud de Champagnole, les plateaux jurassiens s'égaient de nappes tranquilles aux eaux d'un vert-jaune propre à la région. Les caprices du temps altèrent à leur gré les teintes. Et le bleu turquoise n'est pas rare. Roseaux et joncs, nénuphars aux fleurs blanches ou jaunes donnent à ces étendues lacustres un charme tout particulier.

Le *Grand* et le *Petit Lac de Clairvaux* sur le premier plateau et, sur le second, les lacs de *Chalain*, de *Chambly* et du *Val*, ainsi que les « Quatre Lacs » (la Motte ou Ilay, le Grand et le Petit Maclu et Narlay) forment trois ensembles lacustres qui, le dimanche, accueillent les pique-niqueurs venus de Lons-le-Saunier. Le Grand Lac de Clairvaux offre une plage pour la baignade, ses berges un camping, et sur ses rives le spectacle des collines boisées. Le Petit Lac, dans un site plus escarpé, plus sauvage, est solitaire au milieu des rochers et des sapins. Les nappes de Chambly et du Val, à peine séparées par une ancienne moraine glaciaire, occupent le fond de la reculée de Doucier, dont les parois s'enfoncent sous leurs eaux. Quant au lac de Chalain, le septième lac naturel de France et le deuxième du Jura (après c de Saint-Point) pour l'étendue, il est le paradis des pêcheurs et amateurs de voile. Ses 232 hectares offrent en effet un plan d' idéal pour la pratique du nautisme.

Au fond de la reculée de Doucier règnent les *cascades du Hériss* petit affluent de l'Ain, né à 800 m d'altitude. Un sentier remont cours du Hérisson, le long des trois cascades. À la premi l'Éventail, l'eau ruisselle sur une dalle haute de 65 m. La seconde Grand Saut, se cache au fond d'un majestueux amphithéâtre roche tandis que, beaucoup plus loin, le Saut Girard est moins spectacula L'ensemble est l'un des sites les plus justement prestigieux du Ju

Enfin, près du cirque de la Chaux du Dombief, où naît le Hériss le belvédère des Quatre Lacs permet d'embrasser les lacs de Ma de Narlay et de la Motte. Devant cette mosaïque de miroirs paisib mais qu'un drainage souterrain relie secrètement au lac de Chalain, appréciera cette conjugaison de calme et de mystère qui se dégage ce site. Du haut de ce belvédère, on saisit ainsi à la fois les d visages du Jura des plateaux.

les reculées du Jura

*A l'orée de la plaine comtoise,
les reculées du Jura semblent s'entrouvrir
pour accueillir le visiteur...
En réalité, ces vallées courtes,
profondément encaissées,
se terminent en cul-de-sac
par un cirque de falaises rocheuses.*

◄ *Au rebord occidental du Jura, dans l'étroite vallée creusée par la Furieuse, Salins-les-Bains, la ville du sel.*

▲ *Perché sur la falaise qu'escaladent les arbres, un belvédère domine le creux de Revigny.*

▲ *Du belvédère des roches de Baume, vue plongeante sur l'entaille de la reculée.*

Après s'être longtemps contentée
de cheminer au fond des reculées,
la route, s'accrochant aux pentes abruptes,
a parfois réussi
à se hisser jusqu'au sommet de la falaise,
et certaines de ces impasses naturelles
ont aujourd'hui perdu,
par la volonté de l'homme,
leur vocation de «bout-du-monde».

ssus
reculée
lanches,
te en corniche
filé
ierre-Encize ».

Sur son rocher, ►
l'ancien nid d'aigle
de Château-Chalon :
un paisible village.

L'imposante muraille ►►
des roches de Baume
ferme le fond du cirque.

◄ Un bout-du-monde :
le cirque de Sautelard,
dans la reculée de Ladoye.

La petite église du
hameau de Lapeyrouse
située à l'entrée
▼ de la reculée de Baume.

▲ *Au sortir des ténébreuses grottes de Baume, le Dard s'ébroue, formant les cascatelles des Tufs.* ►►

À l'issue de mystérieux périples souterrains, les rivières qui ont creusé les reculées réapparaissent à la lumière en jaillissant au pied d'une muraille, et leurs cascadantes résurgences forment souvent des grottes fort pittoresques.

Dans la grotte des Planches, gours et marmites de géants modelés par la Cuisance. ►

Double page suivante :
Un havre de paix protégé par des remparts naturels : l'abbaye de Baume-les-Messieurs.

▲ *Niché dans la verdure de la culée de Vaux, l'ancien prieuré de Vaux-sur-Poligny.*

A l'est de l'ample plaine de Bresse, la première marche de l'escalier que forment les monts du Jura barre l'horizon. De loin, le bord de ce plateau, qui domine le plat pays comme un balcon à 400 ou 500 m d'altitude, paraît bien uniforme; mais, lorsqu'on s'approche, sa ligne bleutée se sculpte. Au droit d'Arbois, de Poligny, de Lons-le-Saunier, le mur semble s'ouvrir, les brèches se multiplient, le rempart se découpe en créneaux, et le détail l'emporte finalement sur l'ensemble. Avec ses sites variés, à découvrir jusqu'à l'intimité, cette muraille se révèle l'une des régions les plus pittoresques de la Franche-Comté.

À l'encontre du simple voyageur, le géographe a tendance à tracer des tableaux d'ensemble plutôt qu'à collectionner des impressions disparates. De cette falaise au fronton festonné, que les habitants de la contrée appelaient jadis le « Bon Pays » parce que la vie y était plus facile que sur les plateaux ou dans la « Montagne », il a fait le « Vignoble », ou « Revermont », l'une des grandes divisions régionales du massif jurassien.

Les festons qui rompent la monotonie du Vignoble séparent les « reculées » que l'érosion a creusées dans l'épaisseur du plateau. Profondément encaissées entre deux parois verticales, ces entailles se terminent au pied d'un escarpement calcaire. Les Jurassiens les appellent simplement « culées » (ou, plus abruptement, « culs »), car ces vallées sont des impasses. Largement ouvertes sur la plaine, elles sont fermées du côté du plateau, comme coupées du reste du monde. Quand on atteint le fond d'une reculée, on a l'impression d'être pris au piège. Au terme d'une progression de plus en plus aventurée entre deux falaises infranchissables, ces murailles qui soudain se rejoignent pour former une enceinte évoquent le « bout du monde »..., encore un autre nom pour ces cirques naturels, creusés par les eaux dans le calcaire blême.

La reculée des Planches

Au nord du Vignoble, Arbois garde l'entrée d'un des plus célèbres de ces « bouts-du-monde », la reculée d'Arbois, plus connue sous le nom de reculée des Planches (à cause du petit village de vignerons qui s'y niche : Les Planches-près-Arbois) et terminée par une cuvette grandiose, le *cirque du Fer-à-Cheval.*

Cette magnifique curiosité naturelle est due à un affluent de la Loue, la Cuisance, dont les deux bras proviennent de deux sources distinctes. La Grande Source sort d'une caverne au fond d'un imposant amphithéâtre évidé dans le flanc oriental de la reculée. Les parois vertigineuses atteignent 245 m de hauteur, et leur sommet s'avance en surplomb, formant une véritable voûte. Le sentier en

corniche qui s'accroche au rocher à mi-hauteur, parmi les arbuste cramponnés au moindre interstice de la muraille, offre de magnifique points de vue sur la vallée.

La *grotte des Planches,* d'où jaillit la Grande Source, est aménagé et permet de suivre le cours souterrain de la Cuisance. On visite deu galeries, de 1 km chacune environ, situées à deux niveaux différents La galerie inférieure, ou « galerie des gours », est le lit de la rivière elle se compose d'une série de vasques (gours) circulaires, reliées pa

a cité idéale
e Claude Nicolas Ledoux

Au nord du Vignoble, près d'*Arc-*
-Senans, en pleine campagne
›mtoise, l'apparition inopinée d'un
mple grec a de quoi surprendre.
ourtant, les blanches colonnes
›riques qui surgissent soudain à
extrémité d'une majestueuse allée
›isée de 1 500 m de long, coupant
ut droit à travers champs, ne sont
ı'un modeste préliminaire, les
opylées d'un ensemble
chitectural grandiose : l'ancienne
aline royale.

En 1773, le bois commençant à se
ire rare autour de Salins, le
onseil du roi décida de créer une
line à Arc-et-Senans, à proximité
la forêt de Chaux, inépuisable
urce de combustible. L'eau salée
rait amenée de Salins par des
canalisations en bois d'une vingtaine de kilomètres de longueur. Pour la première fois dans l'histoire des manufactures royales, la question des transports était abordée dans une optique industrielle.

Claude Nicolas Ledoux, architecte du roi et inspecteur général des Salines, fut chargé de dresser les plans. À cette époque, il n'avait pas encore édifié, tout autour de Paris, la ceinture de pavillons d'octroi, dont les quelques échantillons restants (au parc Monceau, boulevard de la Villette, place de la Nation, place Denfert-Rochereau) témoignent de la variété et de l'originalité de son talent; mais la construction d'hôtels particuliers, notamment celui que Louis XV offrit à la du Barry, avait déjà fait connaître l'ampleur de ses conceptions. Très préoccupé par

→

▲ *Au cœur de la Saline royale, la majestueuse maison du directeur.*

Dans la verdoyante culée de Vaux, une ligne d'arbres dessine le cours de la Glantine.

bruyantes cascatelles (sauf en période de sécheresse). À 900 m
viron de l'entrée, derrière une énorme stalactite, un lac de 130 m de
g se termine par un vaste siphon. Le retour se fait par la galerie
périeure, ou « galerie sèche », un ancien lit maintenant abandonné.
ıbsence à peu près totale de concrétions permet d'observer le
vail d'érosion effectué par le torrent charriant des galets : parois
lies et marmites de géants se succèdent. Le guide invite les visiteurs
enfoncer le doigt dans des tas de boue noirâtre, qui, paraît-il,
portent bonheur — mieux vaudrait pourtant y mettre le pied, car il s'agit de fientes, déposées par les innombrables chauves-souris qui peuplaient autrefois la grotte!

La Petite Source de la Cuisance jaillit un peu plus loin, au fond du splendide cirque du Fer-à-Cheval aux impressionnantes murailles verticales. La route en corniche qui s'élève au flanc de l'hémicycle permet d'atteindre le sommet de la falaise, où un belvédère domine toute la reculée. Un peu plus loin, au bord du plateau, à 250 m au-dessus du vide, le vieux village de *La Châtelaine* offre également un magnifique panorama sur la vallée, d'autant plus impressionnant qu'il n'y a pas de garde-fou. Sur un promontoire, des ruines du château féodal où vécut la reine Jehanne, femme du roi Philippe V, on découvre, au-delà de l'amphithéâtre de la Grande Source et de l'enfilade de la reculée, l'immense plaine de Bourgogne.

La culée de Vaux

Fraîche, verdoyante, la culée de Vaux, qui entaille le plateau à l'est de Poligny, entre les rochers de Grimont et de Dam, est la plus courte des reculées qui s'enfoncent dans la bordure occidentale du Jura. Profonde de 3 km, large de 600 m environ, elle est rectiligne et orientée du sud-ouest au nord-est, c'est-à-dire perpendiculairement au talus qu'elle échancre. Au fond, le cours de la Glantine, bordé d'arbres, suit fidèlement le même axe, parmi les gras pâturages.

Du fait de la faible épaisseur de la couche calcaire, la ceinture de falaises est réduite, sauf à l'amont de la culée, où la vallée se termine par un cirque rocheux, haut de 70 m, qui domine la source de la Glantine. Dans le reste de la reculée, des talus amples et bosselés habillent la muraille. L'ensemble y perd en majesté, mais cela permet aux routes du plateau de descendre en lacets dans la vallée.

En bas, au bord de la Glantine, l'ancien prieuré de *Vaux-sur-Poligny* possède une jolie église gothique. En haut, sur le plateau, la maison Lolo offre un magnifique point de vue sur la culée, la forêt de Poligny déploie ses 3 000 hectares et, près du petit village de Chamole, la Roche du Pénitent domine toute la Bresse du haut de ses 586 m.

Les trois amphithéâtres de Ladoye

Plus au sud, *Nevy-sur-Seille* commande l'entrée d'une reculée bifurquée, ramifiée, dont la branche méridionale abrite Baume-les-Messieurs, alors que la branche septentrionale se termine par le cirque de Ladoye. Ce dernier n'est pas tout à fait un bout-du-monde, puisque la route qui longe le bras nord de la Seille jusqu'à sa source parvient à

▲ *L'un des deux vastes bâtiments où le précieux sel était extrait de l'eau saumâtre.*

l'aspect social de son art, c'était un visionnaire, précurseur de certains de nos architectes-urbanistes contemporains.

Pour Arc-et-Senans, Ledoux tra les plans d'une ville entière, de forme circulaire, ayant les salines pour centre. En bon urbaniste, il e soin d'y ménager de nombreux points de rencontre : église, march bains publics, maison de loisirs, et

Cette ville idéale eut une destiné désastreuse. Pour des raisons financières, le projet de Ledoux n fut réalisé que partiellement. On n'édifia que les bâtiments de la saline, les ateliers de travail et les habitations du personnel. Les premières années, le rendement fu satisfaisant (la production annuelle atteignit 40 000 quintaux), mais les canalisations de bois finirent par s détériorer et leur débit baissa. Le

À l'entrée de la reculée de Ladoye, les blanches falaises
▼ *de la côte de Boëvron.*

en escalader la paroi pour se hisser jusqu'au plateau. Là-haut, un belvédère offre une magnifique vue plongeante sur le cirque et le village de Ladoye-sur-Seille.

Large de quelque 600 m, profonde de 200 m en moyenne, la reculée de Ladoye s'étire du nord-est au sud-ouest. Ses deux versants présentent une nette dissymétrie, due à la nature des roches, qui nuit un peu à son pittoresque. Sur la rive gauche, la rivière a taillé d'altières falaises dans une épaisse couche de calcaire, alors que celle-ci était trop réduite sur la rive droite pour former autre chose que de modestes ressauts.

En amont, la reculée se termine brusquement en cul-de-sac par trois amphithéâtres rocheux, disposés en hémicycle à l'est du village. Au nord, au pied du belvédère, le cirque de Ladoye proprement dit forme un demi-cercle presque parfait, entouré de falaises d'une quarantaine de mètres, dominant un talus d'éboulis régulier, d'où la source nord de la Seille jaillit en formant une fontaine, appelée ici « doye

Plus à l'est, le cirque de Lioutre, aussi encaissé que le précéde mais de dimensions plus réduites et, surtout, d'une architecture moi régulière, voit naître l'Enragé, minuscule affluent de la Seille.

Au sud, le cirque de Sautelard n'est qu'une gorge encaiss triangulaire, encombrée d'éboulis.

Le classicisme du cirque de Baume

On parle volontiers de la reculée de Baume pour vanter le char de sa verdure, la majesté de ses falaises, la séduction de ses grottes de ses cascades, alors que ce site magnifique, un des plus beaux Jura et peut-être le plus typique, se compose en réalité de plusie reculées. La longue vallée encaissée au fond de laquelle la branc

mplacement du bois par le charbon
›ur le chauffage des chaudières
›rta un coup fatal à la saline, et
:xploitation fut abandonnée à la fin
ı XIXe siècle.
Récemment classée monument
storique et restaurée, la Saline
›yale mérite une visite. Le péristyle
›rique précède une entrée en forme
: grotte, décorée de rochers, de
ntaines et de stalactites. De part et
autre du porche, les bâtiments
›ritaient le corps de garde, le palais
: justice et le four banal. Ils sont
nés d'urnes de pierre d'où
échappent des flots pétrifiés. Le
›rche franchi, on découvre
›riginalité de la conception : toutes
s constructions, disposées sur le
›urtour d'un terre-plein gazonné,
nt symboliquement orientées vers
maison du directeur, qui les
›mine d'un étage. Par sa profonde
unité de style, cet ensemble, bien qu'inachevé, dégage une extraordinaire impression d'harmonie et d'ampleur.

Bâtiments de la gabelle, des forgerons, des tonneliers, des menuisiers, des charpentiers et des commis, tous en pierre de taille, tous ornés de frontons triangulaires, d'urnes ruisselantes et de reliefs où joue la lumière, entourent les deux immenses ateliers de la saline, dont la masse imposante encadre la colonnade à tambours alternativement ronds et carrés de la maison du directeur. Ces aîtres désertés, décor parfait pour film d'avant-garde (le réalisateur P. Kast y a tourné *la Morte Saison des amours*), ont été repris par la Fondation du Futur, qui y tient ses assises et y organise des colloques savants. ■

▲ *Arcades romanes et voûte gothique, la longue nef de l'église abbatiale de Baume-les-Messieurs.*

d de la Seille coule au pied de pentes verdoyantes, ourlées de
anches corniches calcaires, se divise en effet, après le village qui lui
›nne son nom, *Baume-les-Messieurs,* pour former trois doigts
‹gement écartés, trois culées distinctes ciselées dans la masse du
ateau : celle de Longebief, celle où naît la Seille méridionale et celle
ı Dard, qui aboutit au célèbre cirque de Baume.
Le premier de ces bouts-du-monde, le plus septentrional, n'a que
ıelques centaines de mètres de longueur. Il débute en amont par un
‹que évasé, divisé en deux lobes peu prononcés, flanqués de pentes
arneuses. Les falaises y sont peu importantes, souvent même en
rtie remblayées. Le relief ne s'accuse vraiment que vers l'aval.
La deuxième des reculées de Baume, le creux de la Seille,
alement appelé « vallée de Saint-Adegrin » en souvenir d'un moine
l'abbaye voisine, est la plus orientale du groupe. Sa configuration
t analogue à celle de la précédente, chacun de ses lobes abritant une
urce de la Seille, mais ses falaises sont plus marquées.
La reculée de Baume proprement dite, la plus connue et de
aucoup la plus belle, correspond à la vallée du Dard, un affluent de
Seille. Large de 300 à 400 m, profonde de 150 à 200 m, longue de
00 m, elle forme un canyon parfait. L'érosion ayant suivi une faille,
tracé du val est rectiligne. C'est une gorge majestueuse qui conduit
cirque terminal, dont les falaises abruptes, hautes de 80 à 120 m,
arrondissent en un hémicycle à la géométrie presque idéale.
C'est peut-être quand on le découvre par le haut, du plateau, que le
que de Baume est le plus imposant. Du *belvédère des Roches de*
ume, on voit brusquement s'ouvrir à ses pieds un gouffre immense,
e colossale entaille aux bords vifs, que rien ne laissait prévoir dans
tte platitude. Ici, pas de lente progression, pas de degrés dans le
andiose, mais la révélation brutale, saisissante, d'un autre monde,
ıne oasis de verdure et d'eaux vives enchâssée dans le causse aride,
ıne terre promise qu'un vertigineux sentier de chèvres, les *Échelles*
Crançot, taillé en plein roc dans la paroi verticale, met à la portée
s plus agiles.
Au pied des falaises, des talus boisés, parsemés d'éboulis,
nfléchissent doucement vers la rivière. Un peu partout, au point de
ntact des calcaires perméables et des marnes imperméables, les
ıx d'infiltration réapparaissent. À la base des murailles, des
plombs, des anfractuosités, tel l'« abri des Romains », ont servi de
uge aux populations primitives ou à leurs cultes. On y a retrouvé
s vestiges préhistoriques.
Du parking où se termine la route de la reculée, à côté du Chalet
s Grottes, on découvre la source du Dard. Après les pluies, elle
lit de la falaise à 15 m de hauteur, en formant la gracieuse cascade
la Queue-de-Cheval. Par temps sec, les traces noirâtres d'un mince
ntement rappellent sa splendeur empanachée, et seule subsiste la
résurgence permanente en contrebas, dont les dépôts de sels minéraux ont construit des gradins de tuf moussu, aux formes baroques.

On atteint l'entrée des célèbres *grottes de Baume* par un escalier métallique qui passe sous la cascade de la Queue-de-Cheval. Éclairées, bien aménagées, décorées de magnifiques concrétions, ces grottes, que l'on visite sur 800 m environ, sont l'ancienne résurgence du Dard, qui ne les utilise plus que comme trop-plein. Un long couloir voûté en ogive conduit à une succession de salles ornées de cascades pétrifiées. Le « boudoir de Cléopâtre » semble tapissé de diamants scintillants, les eaux ténébreuses de la « salle du Petit Lac » abritent une colonie de crevettes aveugles, et la « salle du Catafalque », haute de 80 m, est ornée d'une profusion de stalactites et de stalagmites.

L'abbaye de Baume-les-Messieurs

À l'aube de la chrétienté, les bouts-du-monde faisaient peur. Ces hautes falaises, ces bas-fonds encombrés de fourrés, ces résurgences qui jaillissaient des murailles de roc, tout cela composait un univers inquiétant qui n'était pas fait pour les chrétiens. À cette époque, les eaux aux provenances mystérieuses alimentaient le culte païen des sources. Dans le cirque de Baume, les offrandes retrouvées dans un abri proche de la cascade du Dard témoignent de cette vénération. Pour conjurer les effets du paganisme, tout en mettant en valeur des terres visiblement fertiles, il fallait des pionniers animés du feu sacré : ce ne pouvait être que des moines.

À Baume, cette évangélisation par l'exemple s'opéra à l'instigation d'un religieux irlandais, saint Colomban. Abbé du monastère de Luxeuil au VIe siècle, ce prélat dynamique entendait faire bénéficier ses ouailles, avec la parole de l'Évangile, des plus récentes techniques agricoles. Afin de mieux exorciser le maléfice du site, le nouveau moutier fut élevé au carrefour des trois reculées, près de la source et de la grotte du Dard. La meilleure preuve du rapport existant entre cette grotte et l'abbaye primitive est fournie par le nom même de cette dernière, Baume, qui, en vieux français, signifie « caverne ».

La congrégation de Baume adopta, au VIIe siècle, la règle bénédictine, et elle est surtout connue pour avoir fourni, en 910, les douze moines qui fondèrent la puissante abbaye de Cluny. La situation écartée de l'abbaye, blottie au fond de sa reculée, à l'abri de ses falaises, semblait devoir lui épargner les sévices des envahisseurs dont les hordes déferlèrent sur le pays. Il n'en fut rien. Ravagée tour à tour par les Sarrasins, par les Normands, par les Hongrois, par les barons locaux et par les soudards anglais, français et suédois, elle se releva chaque fois de ses ruines, reconstruisit ses bâtiments incendiés et maintint son rayonnement spirituel.

Bancs de sel et collines de cendres

Manquer de sel est un risque que ne courent point les Comtois. Depuis l'Antiquité, on exploite les bancs de sel gemme que recèle le sous-sol du Vignoble et qui sont à l'origine de Lons-le-Saunier et de Salins-les-Bains.

La technique consiste à pomper l'eau saturée des nappes souterraines et à la faire évaporer pour recueillir le sel qu'elle contient. Jusqu'au siècle dernier, les pompes étaient actionnées par des chevaux, et l'évaporation s'obtenait en chauffant au bois de grandes marmites contenant l'eau saumâtre. Les cendres de ces foyers formaient de véritables collines, et les paysans de la région venaient les chercher avec des chars à bœufs pour amender leurs terres.

Aujourd'hui, des procédés industriels ont remplacé ces techniques artisanales. La production comtoise de sel gemme atteint 60000 tonnes par an, dont 40000 sont utilisées par l'agriculture et l'industrie.

À Lons-le-Saunier, le Puits-Salé n'alimente plus que la piscine, et les principales salines sont situées en dehors de la ville, dans le faubourg de Montmorot. Cinq puits y pompent l'eau saumâtre à 130 m de profondeur.

Salins-les-Bains, elle, est toujours la « ville du sel », mais elle est loin d'avoir la même importance qu'au Moyen Âge, quand cet indispensable condiment était un produit rare et coûteux. Fief des seigneurs de Chalon, dont elle assurait la puissance en emplissant la bourse,

▲ *La rue du Commerce, à Lons-le-Saunier, où naquit Rouget de Lisle, l'auteur de « la Marseillaise ».*

À partir du XIVe siècle, la vie monastique commença pourtant à se relâcher. Les humbles moines du début firent place à de nobles chanoines qui se hâtèrent de rectifier le nom de leur couvent : Baume-les-Moines devint Baume-les-Messieurs...

Le plus illustre, sinon le plus respectable, des prieurs de cette époque de décadence fut Jean de Watteville, dont on peut voir le tombeau dans l'église. S'il faut en croire Saint-Simon, cet ancien officier bourguignon aurait été, avant de devenir un abbé énergique et avisé, l'un des plus grands aventuriers du XVIIe siècle. Sa légende le montre passagèrement chartreux, plus souvent assassin, bretteur invincible, mahométan pour les besoins de sa cause et pacha du Grand Turc, puis abandonnant son harem et trahissant ses janissaires en échange de l'absolution. Ce marché lui aurait même rapporté le bénéfice de l'abbaye de Baume, accordé en prime par le pape.

Après la Révolution, les bâtiments de l'abbaye furent vendus comme biens nationaux, l'église devint paroisse, et ce fut la fin d'un havre qui avait su, pendant douze siècles, rayonner sur le petit monde des reculées. Aujourd'hui, l'abbaye de Baume-les-Messieurs n'est plus qu'un monument touristique. Si le site n'a rien perdu de sa grandeur, les bâtiments sont bien délabrés. Précédé d'une belle allée de tilleuls plantée par Jean de Watteville, un passage voûté conduit à une première cour sur laquelle donnaient l'hôtellerie, le logis de l'abbé, le donjon, la tour de justice et l'église.

De la seconde cour, que l'on atteint par un autre passage voûté et qu'entouraient les appartements des chanoines, il ne reste que des vestiges du cloître et la fontaine. Mais, plus loin, dans le jardin, on découvre l'ensemble des reculées, et c'est un spectacle admirable.

De tous les édifices, seule l'ancienne église abbatiale a été restaurée. Construite dans un style roman puissant et dépouillé, avec un clocher massif à flèche de pierre, elle fut plusieurs fois remaniée et réunit des éléments assez disparates : une nef des XIIe et XIIIe siècles, un portail du XVe, des tombeaux gothiques, quelques statues classiques et baroques et, dans le chœur, un beau retable flamand, à volets sculptés et peints, don de la ville de Gand.

Le creux de Revigny

Au sud du cirque de Baume, le village de Revigny commande le débouché de la dernière des grandes reculées. Orienté du nord au sud, le creux de Revigny est parcouru par la Vallière, dont la source principale jaillit au pied du bout-du-monde. Un vaste amphithéâtre, dominé par la roche de Blin, échancre le flanc du plateau. On distingue mal, d'en bas, ses falaises altières, cachées par les taillis et les broussailles qui ont envahi la pente d'éboulis. Pour en apprécier la hauteur, il faut grimper jusqu'au sommet de cette pente. La paroi se dresse alors comme un mur, et l'existence de surplombs rend sa présence presque oppressante.

Dans la muraille s'ouvrent trois petites grottes. Elles communiquent entre elles et faisaient autrefois partie d'un réseau de rivières souterraines; aujourd'hui, les eaux de la Vallière sourdent à la base des falaises, au milieu des éboulis. L'entrée de ces grottes est dissimulée par la végétation, ce qui leur permit un jour de sauver la vie des habitants de Revigny. En 1635, en pleine guerre de Trente Ans, Richelieu, qui venait de s'allier à la Suède, fit envahir par ses nouveaux partenaires la Comté, coupable d'avoir donné asile à son ennemi Gaston d'Orléans, l'éternel comploteur. Durant une décennie, les Suédois, commandés par Bernard de Saxe-Weimar, mirent le pays en coupe réglée. C'est la dramatique « guerre de Dix Ans », longue suite de meurtres, de rapines, d'incendies, de tortures et de sévices de tout genre. Les grottes de Revigny servirent alors de refuge à la population du village, terrorisée par les exactions et les brutalités des diables blonds venus des brumes nordiques. Le souvenir de cette sanglante époque est resté gravé dans la mémoire populaire. De nos jours, à Revigny, l'injure suprême est toujours « fi de Suède », c'est-à-dire « Suédois ».

En aval du creux, vers le nord, *Conliège,* aimable bourg de vignerons, cerné de pentes couvertes de vignes, s'enorgueillit de son église gothique, tandis qu'au sud, sur le plateau, le village de *Saint-Maur* possède, avec la *Croix-Rochette,* l'un des plus beaux belvédères du Jura : on domine les plaines de Bresse et de Bourgogne et, vers le sud-est, par temps clair, la vue porte jusqu'au mont Blanc.

Une culture acrobatique

Lorsqu'un voyageur, venant des monts du Jura, atteint les pentes qui forment le rebord occidental du plateau, il est frappé par leur aspect méridional. Plus de grands bois. À la place, un pays lumineux et sec, des rocs dénudés, des landes couvertes de buis, de genévriers, des buissons, des taillis que broutent des troupeaux de chèvres. Des vergers et quelques vignes complètent l'ambiance de cette enclave méditerranéenne dans le massif le plus continental de France. Les habitants eux-mêmes s'y sont laissé prendre. Leurs maisons sont plus hautes et couvertes de tuiles rondes, comme dans le Midi. Du Jura, il ne reste guère que le relief karstique (dolines, pertes, dépressions fermées, résurgences) et les fromageries où s'élabore le comté, le savoureux gruyère de Franche-Comté.

Cette étroite bande de terrain (5 km en moyenne, 12 km au plus large) qui frange le plateau entre Salins-les-Bains et Saint-Amour 'était alors une cité active, ·ospère, à laquelle une charte ssurait une relative indépendance. tirée au long de la Furieuse, la ille, qui se réduit presque à une rue, st nichée au fond d'une vallée troite, encadrée par deux pitons ortant chacun un fort et fermée par haute silhouette du mont Poupet 350 m), merveilleux belvédère où asteur étudia les propriétés de l'air ur et d'où l'on découvre un nmense panorama sur la ourgogne, le Jura et les Alpes.

Ravagée en 1825 par un terrible ıcendie qui dura trois jours et trois uits, Salins, devenue station ermale au milieu du XIXe siècle, ossède peu de bâtiments anciens. e plus intéressant est l'église Saint-natoile, accrochée à flanc de oteau, au sommet d'une rampe oupée de degrés. Sa tour massive, son portail en plein cintre et son ravissant triforium sont romans, alors que ses voûtes ogivales et ses chapiteaux sont gothiques. Les beaux vantaux sculptés du portail sont flamboyants, comme les deux chapelles en saillie qui les encadrent. De l'enceinte médiévale, il ne reste qu'une grosse tour. La composite église Saint-Maurice, très mutilée, abrite une jolie pietà d'albâtre, et l'église Notre-Dame a conservé quelques peintures. L'hôpital, dont la pharmacie contient une belle collection de faïences de Moustiers, est du XVIIe siècle, comme la chapelle ovale de Notre-Dame-Libératrice, enclavée dans l'harmonieux hôtel de ville du XVIIIe siècle.

La visite des salines, dans les anciens bâtiments desquels s'est logé le casino, est instructive. Dans des souterrains voûtés, ténébreux, dont l'origine est certainement très ancienne, une machinerie assez vétuste pompe à 265 m de profondeur une eau saturée de sel (330 g par litre) que des chaudières font ensuite évaporer. Mais ne cherchez pas les collines de cendre : ces chaudières fonctionnent maintenant au charbon. ■

Un verre à la fois

Qu'ils soient rouges, rosés, blancs, jaunes, de paille ou mousseux, qu'ils s'appellent côte du Jura, arbois, étoile ou château-chalon (les quatre appellations contrôlées), tous les vins du Jura ont une caractéristique commune : ils sont « brise-mollets ». Dans le folklore local, on chante d'ailleurs « le bon vin d'Arbois, dont on ne boit qu'un verre à la fois! »

Rouges et rosés sont récoltés tout le long de la côte. Mis en bouteille après deux ou trois années de tonneau, ils ont un bouquet très spécial et se conservent longtemps. On les boit avec les viandes rouges, le gibier et les fromages (surtout le comté, bien entendu).

Les mousseux, blancs ou rosés, bruts, secs ou demi-secs, qui se conservent dix ans et se boivent frappés, sont surtout servis avec les plats sucrés ou comme apéritif.

Quant aux blancs, ils sont fins, puissants, se gardent jusqu'à cinquante ans et se boivent avec le poisson et les fruits de mer.

Les deux produits les plus originaux du terroir jurassien, qui font à juste titre l'orgueil du Vignoble, sont le vin jaune de garde

→

Pierre ocre, dôme bulbeux, le clocher de l'église Saint-Just domine d'une soixantaine de mètres Arbois et son vignoble.

appelle « Vignoble » au nord de Lons-le-Saunier et « Revermont » au ıd, mais, dans la pratique, les deux termes sont souvent employés différemment, peut-être parce que l'appellation « Vignoble » est de oins en moins justifiée : depuis la fin du XIXe siècle, au cours duquel phylloxéra les éprouva durement, le nombre des ceps n'a cessé de minuer.

C'est que le métier de vigneron, dans le terroir jurassien, n'est pas e sinécure. Il faut continuellement remonter en haut des champs, à hotte, la terre entraînée par les pluies. La pente est parfois si forte si escarpée qu'on ne peut la cultiver que suspendu à un treuil! La oduction s'en ressent. À Château-Chalon, par exemple, pour les ants de savagnin, le rendement à l'hectare est limité à 25 hl par an. 'est le plus faible de France. Encore est-il rarement atteint! Il faut oir l'espoir chevillé au corps pour s'accrocher à de telles vignes. Il t vrai que la qualité des vins qu'elles produisent justifie tous les forts, et, si les habitants d'Arbois, de Poligny et de Château-Chalon ont toujours eu la réputation d'avoir la tête dure et le caractère frondeur, ils n'ont jamais passé pour des fainéants...

Arbois, capitale du Vignoble

Dans le vallon de la Cuisance, face à la reculée des Planches, s'élève, au milieu de coteaux plantés de vignes, une petite ville pittoresque, aussi fière de son passé et de son grand homme que de ses vins : Arbois, « capitale » du Vignoble.

Le passé guerrier de la cité n'a laissé que peu de traces. Arbois fut pourtant une ville fortifiée, qui essuya de nombreux sièges et fut ravagée à plusieurs reprises. Notamment en 1595, quand le maréchal de Biron l'enleva au nom d'Henri IV et se discrédita en faisant pendre son défenseur, l'héroïque capitaine Morel, auquel il avait promis la vie sauve. Portes et remparts ont disparu, à l'exception de deux

▲ *L'église de Saint-Lothain, l'un des villages du « Bon Pays » où naissent les vins du Jura.*

et le vin de paille.

Le *vin jaune*, élaboré en partant uniquement du savagnin (ou naturé), a sa légende, presque sa mythologie. Déjà, l'origine de son cépage est discutée. Fut-il introduit par les abbesses de Château-Chalon, qui, au Xe siècle, auraient fait venir d'un couvent hongrois des plans de tokay? Ou fut-il importé de Jerez (Xérès) par les Espagnols à l'époque où la Franche-Comté faisait partie de l'empire de Charles Quint? Il se pourrait aussi qu'il descende tout simplement des lambrusques, ces vignes sauvages qui poussaient en France avant le phylloxéra. Andalou, hongrois ou autochtone, le savagnin, qui pousse sur des collines escarpées et caillouteuses, est récolté entre le 1er et le 15 novembre, d'où le nom de « vin de gelée » qu'on donnait autrefois au vin jaune.

La vinification telle qu'on la mè dans les chais de Château-Chalon constitue une énigme aux yeux des savants, qui ne sont pas encore parvenus à l'expliquer.

Il y a d'abord les tonneaux, petit fûts de chêne rouge au tartre séculaire, amoureusement entreten Qu'un bon vigneron vienne à décéder, et tous ses amis, assure-t-on, se précipitent chez sa veuve pour lui acheter — fort cher — ses précieux tonneaux.

Il y a ensuite la vinification elle-même, dont le processus est un véritable défi aux lois de l'œnologie Et pourtant...

Après la fermentation — normale —, le vin, au printemps d la deuxième année, est soutiré dan un tonneau dont le goût est « au jaune ». Alors commence le mystè On ne comble jamais le vide produ

bastions, la tour Gloriette et la tour Chaffin, qui se dressent encore parmi les vieilles maisons, au bord de la rivière, près du vénérable pont des Capucins. Le Vieux-Château, ou château Pécauld, n'est plus qu'une ruine, et le Châtel-Neuf, ou château Bontemps, ancienne résidence des ducs de Bourgogne, maintenant propriété privée, a subi des transformations.

Le monument le plus remarquable de la ville est l'église Saint-Just, magnifique édifice roman, flanqué d'une puissante tour gothique en pierre ocre, haute de 64 m, dont le dôme à lanternon domine tout le vignoble; ses trois nefs, ses arcades en plein cintre et ses lourds piliers de moellons, alternativement ronds et carrés, sont d'une imposante sobriété. Signalons enfin, place de la Liberté, de jolies maisons du XVIIe siècle, précédées d'arcades sous lesquelles il fait bon flâner.

Le grand homme d'Arbois, c'est Louis Pasteur. Le célèbre biologiste naquit à Dole en 1822, mais son père, qui était tanneur, vint se fixer à Arbois alors que le futur savant n'avait que cinq ans, et la ville devint sa patrie d'adoption. Il y passa sa jeunesse et, jusqu'à la fin de sa vie, ne manqua jamais d'y prendre ses vacances. C'est le raisin des vignes environnantes dont il étudia la fermentation et c'est dans le laboratoire qu'il avait installé dans la maison familiale qu'il mit au point le procédé connu sous le nom de « pasteurisation ». Un petit-fils du savant, le docteur Pasteur Vallery-Radot, a fait don de cette maison à la Société des Amis de Pasteur, qui l'a transformée en musée. Tout est resté dans l'état où Pasteur l'a laissé en mourant, en 1895. On visite sa chambre, son laboratoire, son bureau où le porte-plume, l'encrier et le sous-main semblent l'attendre. On voit sa toque noire, son livre de messe, et on se sent gagné par une étrange sérénité.

Au sud de la ville, l'Ermitage, fondé au XVe siècle et qui abrite maintenant un orphelinat, domine la vallée de la Cuisance. On y vénère une mystérieuse Vierge noire, originaire de Belgique, qui donne lieu chaque année à un pèlerinage.

Poligny-sous-Lune

Voisine et rivale d'Arbois, Poligny est comme elle une « capitale » : celle du fromage de Comté. On y trouve l'École nationale de l'industrie laitière, le Comité interprofessionnel du gruyère de Comté, une station de recherches laitières, des caves d'affinage, etc.

Pour bien voir la ville, il faut monter jusqu'au « trou de la Lune », une caverne percée au flanc du rocher de Grimont qui domine les toits de la cité. À vos pieds, les tuiles ocre masquent la vie du bourg, tandis que, au-dessus de votre tête, se dressent les ruines farouches du château de Grimont, ancienne résidence des comtes de Bourgogne qui y serraient leurs archives. Au XVe siècle, lorsque la « comté » fu réunie au « duché » de Bourgogne, le château devint prison. Le grands ducs d'Occident faisaient régner l'ordre dans leurs États ave une poigne de fer, et les cachots ne désemplissaient pas, largeme approvisionnés en vassaux rebelles par le parlement de Dole L'emprisonnement dans cette sinistre geôle n'était d'ailleurs pas l sanction la plus sévère. Lorsque le seigneur de Pesmes, Jean d Grandson, se permit de protester contre une nouvelle taxe imposé par Jean le Bon, il fut non seulement écroué au château, ma proprement étouffé entre deux matelas.

C'est dans le petit monde d'en bas que naquit Jacques Coitier, c médecin de Louis XI qui, craignant pour sa vie, persuada son roy patient qu'il ne survivrait que trois jours à son docteur. L moutonnement des toits est dominé par deux clochers, flèche d pierre romane pour l'église Notre-Dame de Mouthier-le-Vieillard puissante tour gothique pour la belle église Saint-Hippolyte. Cett dernière doit beaucoup à la générosité de Jean Chousat, conseiller de ducs. Son portrait, accroché dans le chœur, le représente la dextre su l'escarcelle. Grâce à lui, l'église est décorée de magnifiques statue bourguignonnes, provenant de l'école de Claus Sluter, et d'une poutr de gloire dont les trois personnages sont parmi les plus beaux bo polychromes que nous ait légués le XVe siècle.

Du belvédère de la Lune, on distingue aussi le vaste toit d l'hôtel-Dieu, dont la pharmacie contient une magnifique collection d pots en faïence; celui du couvent des Clarisses, qui abrite la châsse d sainte Colette, fondatrice de l'ordre; celui de l'ancien couvent de Ursulines, dont la cour à arcades ne manque pas de cachet; et l'o devine la coupure de la Grande-Rue où se côtoient les hôte particuliers aux belles portes de bois sculpté.

Château-Chalon, gloire vinicole

Au bord du plateau jurassien, un ancien village fortifié est perch au sommet d'un éperon si abrupt, si escarpé que la route de la plai doit faire un long détour pour l'escalader : c'est Château-Chalon. A pied de la falaise, un taillis de noisetiers domine des pentes couvert de vignes, celles qui donnent le célèbre vin jaune, gloire du Vignoble.

À la fin du VIIe siècle, une abbaye de bénédictines, réservée a demoiselles de la noblesse, vint s'établir sur cette forteresse naturell et la tradition (contestée) veut que ce soient les dames chanoiness qui aient fait venir de Tokay les fameux plants de vigne qui donne au vin jaune sa saveur inimitable.

Aujourd'hui, Château-Chalon est presque une ville morte. Sc fastueux passé n'a pas laissé beaucoup de traces. Il ne reste qu'u r l'évaporation. On ne froisse mais la mince et mystérieuse llicule qui se forme à la surface. loi fixe à six ans la durée inimale du séjour en tonneau, mais en des propriétaires gardent leur n en fût jusqu'à dix ans, et leurs ands-pères allaient jusqu'à vingt-nq ans! Après cette longue attente, vin est fait... ou défait. Et, si l'on sait pas comment se fait le vin une, on ne sait pas davantage mment il se défait... Certaines coltes ne prennent jamais le meux goût de jaune.

Le vin jaune est sec et titre au oins 13°. Il a unc saveur de noix et prune, une belle couleur ambrée, il fait « la queue de paon » dans la uche durant une minute — temps ronométré par des experts!

Autre mystère : la durée de son mps de garde. Une fois enfermé dans son « clavelin » (bouteille spéciale de 65 cl), le vin jaune se révèle pratiquement indestructible. Inutile de se soucier du bouchon! La bouteille peut rester ouverte pendant des mois sans que le vin en souffre. Dans les bonnes caves du Jura reposent encore d'assez nombreuses bouteilles de 1911, l'année de la Comète, célèbre entre toutes, et même quelques millésimes 1874.

Le *vin de paille,* tiré d'un mélange de poulsard, de pinot, de trousseau et de chardonnay, est mis en bouteille après dix années de fût; il n'a qu'un défaut : sa rareté. Encore le vignoble jurassien est-il le dernier terroir à maintenir une tradition jadis pratiquée également en Alsace et sur les rives du Rhône. Les grappes, sélectionnées sur pied avant la vendange, sont déposées sur des lits de paille ou des claies, ou encore

▲ *Massive, percée de rares ouvertures, bien abritée par son ample toit de tuiles, une ferme près de Poligny.*

Les ceps qui produisent le fameux vin jaune, au pied de Château-Chalon.

te des anciens remparts, quelques pierres du château fort élevé par arles le Chauve, et rien des bâtiments de l'abbaye. L'église nt-Pierre, de style roman, est couverte d'une belle toiture de lauses possède les voûtes sur croisées d'ogives les plus anciennes de la ion. On peut y admirer un joli groupe d'albâtre représentant la nte-Trinité, et un christ en bois sculpté au visage curieusement symétrique. Du belvédère de la Rochette, à la pointe de l'éperon, voit la plaine se dérouler à l'infini, les coteaux chauffer leurs grappes au soleil et, 200 m plus bas, le bourg de Voiteur, sur la Seille, où se concentre maintenant l'activité locale.

À proximité de Voiteur se dressent deux châteaux bien différents, l'un à l'ouest, l'autre au sud. Le premier, celui d'*Arlay*, est en ruine. Il s'élève au bord de la Seille, au sommet d'un mamelon boisé; les imposants vestiges de son donjon, de ses remparts et de ses tours donnent une haute idée de la puissance des princes de Chalon, branche cadette des comtes de Bourgogne, qui l'édifièrent du XIe au

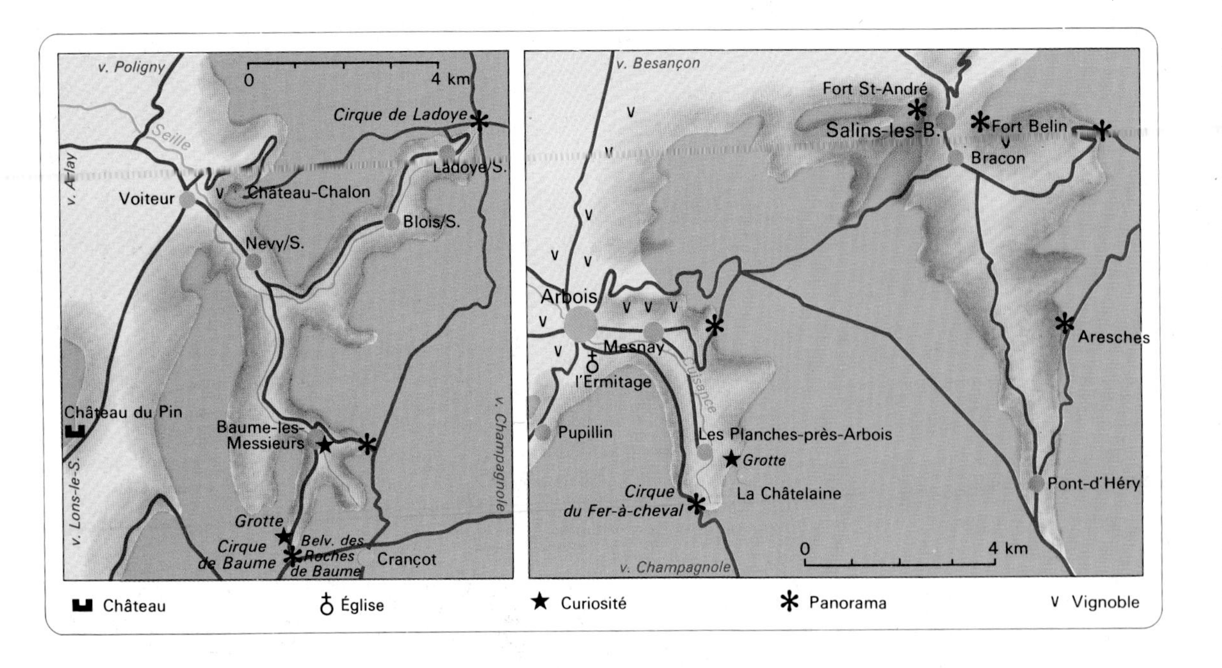

suspendues à des fils de fer. Elles restent au moins trois mois, duran lesquels leur teneur en sucre se concentre. Lorsque celle-ci atteint degré voulu (310 à 350 g), on pres le raisin dans des pressoirs minuscules et le moût fermente longuement. Au bout d'un an ou deux, on obtient un vin liquoreux, titrant jusqu'à 17°, qui vieillit trois quatre ans dans de petits fûts en cœur de chêne, avant d'être mis e bouteille. C'est un nectar suave, couleur de topaze, au bouquet onctueux, qui se conserve indéfiniment. Certains gastronom le rapprochent du vin de Ténériffe.

On ne peut pas parler des vins d Jura sans citer le *marcvin,* obtenu mutant des moûts de cépages nobl avec de l'eau-de-vie. Le vin de liqueur qui en résulte, souvent enrichi d'épices, titre jusqu'à 20° doit vieillir en fût de chêne durant deux ou trois ans pour acquérir to son bouquet. ■

XVe siècle. Le second, le *manoir du Pin,* récemment restauré, paraît sortir intact du Moyen Âge; son formidable donjon carré, de 18 m de côté, hérissé d'échauguettes, est particulièrement impressionnant la nuit, lorsqu'il est illuminé.

Lons-le-Saunier à l'heure du thermalisme

Au sud du Vignoble, dans un cadre paisible de douces collines couvertes de vignes, Lons-le-Saunier, préfecture et ville d'eau, se prélasse au bord de la Vallière. Les salines qui incitèrent les Romains à ajouter le qualificatif de *Salinarius* à son nom gaulois de *Ledo,* et qui firent la richesse de la ville au Moyen Âge, ne sont plus exploitées depuis la fin du XIVe siècle, mais les eaux chlorurées iodiques (les plus minéralisées de France) traitent le lymphatisme, les affections gynécologiques et les rhumatismes, et alimentent la piscine en plein air du Puits-Salé.

Le cœur de la ville est la place de la Liberté, où se dresse la tour de l'Horloge, seul vestige des anciens remparts qui n'empêchèrent pas la cité d'être ravagée à plusieurs reprises — en particulier par les Anglais durant la guerre de Cent Ans et par les Suédois pendant la guerre de Dix Ans. De là, la pittoresque rue du Commerce, bordée d'arcades du XVIIIe siècle, conduit à l'hôtel de ville. En principe, ces arcades auraient dû être uniformes, mais un dicton local affirme : « Comtois, tête de bois », et l'indépendance d'esprit des Lédoniens s'est donné libre cours, variant à plaisir les dimensions, la courbure et la décoration des arcs. C'est au numéro 24 de cette rue que naquit, en 1760, Rouget de Lisle, auteur de *la Marseillaise.*

L'hôtel de ville, qui a remplacé le château des princes de Chalon, anciens maîtres de la cité, abrite un très intéressant musée, contenant, entre autres richesses, des objets préhistoriques provenant des cités lacustres du lac de Chalain, notamment une pirogue de 9 m faite d'un tronc d'arbre évidé.

Derrière l'hôtel de ville, l'harmonieuse façade classique de l'hôpital est précédée d'une belle grille de fer forgé. On visite la pharmacie et sa collection de faïences anciennes, ainsi que les cuisines, encore garnies de tous les ustensiles du XVIIIe siècle.

Non loin de la rue du Commerce, près de l'église des Cordeliers, restaurée sous Louis XVI et ornée de magnifiques boiseries, la promenade de la Chevalerie rappelle un épisode des Cent Jours. C'est là que le maréchal Ney, chargé par Louis XVIII de barrer la route à Napoléon qui avait débarqué au golfe Juan et remontait vers Paris, fut accueilli par ses troupes aux cris de : « Vive l'Empereur! » Changeant une fois de plus de camp, le fougueux maréchal, qui avait promis de « ramener l'ogre dans une cage de fer », se rallia à son ancien maître en s'écriant : « La cause des Bourbons est à jamais perdue! » Erre de jugement qui valut au « brave des braves » d'être fusillé apr Waterloo.

Le monument le plus intéressant de Lons-le-Saunier est l'égli Saint-Désiré, un des plus anciens édifices romans de la Franch Comté. L'extérieur a été refait, mais l'intérieur, avec ses moello apparents, ses piliers sans chapiteau, ses arcades en plein cintre et s voûtes d'arête, a le charme dépouillé des très vieilles pierres. I crypte, divisée en trois nefs, abrite le sarcophage de saint Désir mort en 415. Dans le bas-côté droit de l'église, une *Mise au tombe* en pierre, plus récente mais très belle, date du XVe ou du XVIe siècl

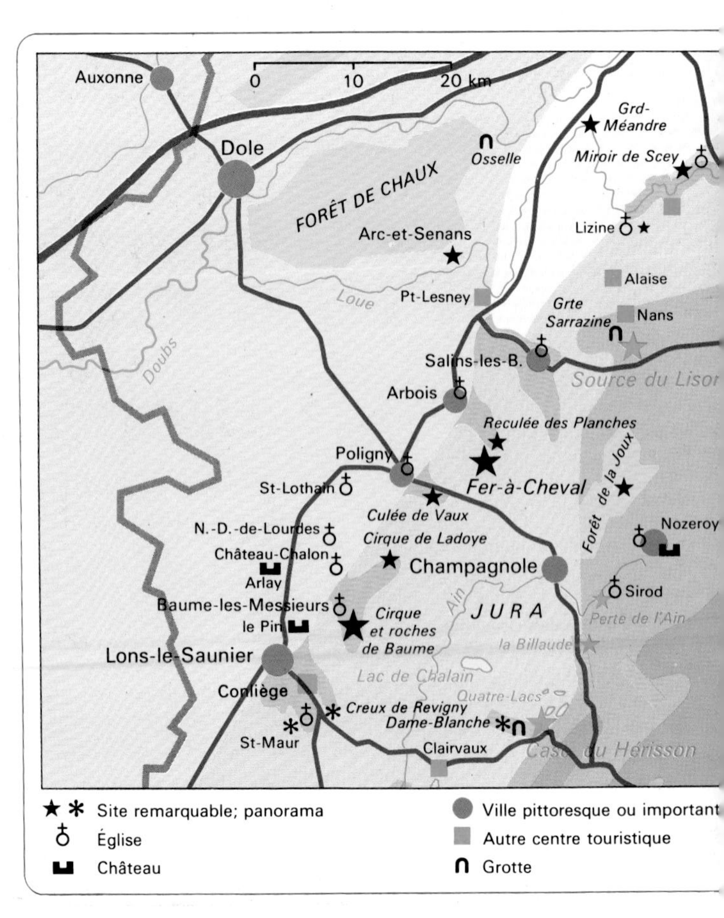

la Franche-Comté des villes et des citadelles

◀ *Au cœur du vieux Dole, le solide clocher de Notre-Dame veille sur la paisible place aux Fleurs.*

La haute silhouette de l'église Notre-Dame domine la ville, au pied de laquelle passe le canal. ▶

Le palais de justice occupe l'ancien couvent des Cordeliers, dont le cloître et le puits ▼ *datent du XVIIIe siècle.*

Sur la grande voie qui relie les pays du Midi à ceux de l'Est, Dole, porte du Jura et ancienne capitale de la Franche-Comté, étage ses toits de tuiles brunes et les vestiges de sa grandeur passée au bord du Doubs et du canal du Rhône au Rhin.

La verdoyante vallée du Doubs, où se niche Baume-les-Dames (au fond). ▶▶

Place forte gauloise,
colonie romaine,
ville d'art et métropole de l'horlogerie,
Besançon occupe une situation
stratégique exceptionnelle :
un méandre du Doubs l'encercle
de larges douves naturelles,
un piton de roc commande
sa seule issue,
et des collines boisées
l'entourent comme autant
de sentinelles.

Au pied de la Citadelle, les tours en poivrière et l'avant-corps Louis XIV de la porte Rivotte, ancienne entrée de la ville. ▼

Vauban a couronné d'une forteresse la muraille rocheuse qui verrouille la boucle du Doubs. ▶

◀◀ *Dominant le Doubs de plus de 100 m, la muraille de roc est encore surélevée par des remparts de 20 m de haut.*

◀ *Vue de la tour du Roi, l'entrée du front Royal, deuxième bastion de la Citadelle.*

Ayant fait de Besançon la capitale de la Franche-Comté française, Louis XIV y fit bâtir une forteresse moderne.

Dans le calme paysage des bords du Doubs, la Citadelle paraît ▼ *bien insolite.*

De pacifiques demeures se sont imbriquées aux vieux remparts de Pesmes, vestiges d'une époque troublée. ▶

▲ *Depuis sa fondation, en 1140, l'abbaye cistercienne d'Acey est un des hauts lieux spirituels de la Franche-Comté.*

Au pied du plateau jurassien, entre le Doubs et la Saône, s'étend une région au relief peu accidenté, où des plates-formes sèches alternent avec des dépressions humides. La circulation y est aisée, et c'est là que la Franche-Comté a édifié ses villes les plus actives, les plus peuplées. Le grand axe qui se dessine de Dole à Belfort est un chemin tout tracé entre les pays du Rhône et ceux du Rhin, et le trafic des marchandises enrichit la contrée depuis des temps immémoriaux.

Mais où passent les marchands peuvent aussi passer les armées. Après les légions de César, qui transformèrent le territoire des Séquanes en province de Séquanie, vinrent les Burgondes, qui incorporèrent celle-ci à Burgondie (la future Bourgogne), puis les Francs, qui rattachèrent le tout au royaume carolingien. Celui-ci ne dura guère. À la mort de Charlemagne, le pays, appelé «comté» par opposition au «duché» de Bourgogne, fut successivement annexé à la Lotharingie, au royaume d'Arles et enfin au Saint Empire. Se libérant de l'autorité — assez théorique — de ce dernier, il devint la Franche-Comté (le mot «comté» était autrefois féminin).

Réunie par mariage à la Bourgogne ducale en 1384, la Franche-Comté suivit la destinée de cette dernière durant près de trois siècles. Gouvernée sans tendresse par les «grands ducs», elle fut ensuite occupée par Louis XI, puis rendue à l'empereur Maximilien, sagement administrée par Marguerite d'Autriche et par Charles Quint, léguée à la couronne d'Espagne, et finalement conquise par Louis XIV, qui l'annexa à la France par le traité de Nimègue (1678).

Et les Comtois, dans tout cela? Ils avaient appris à s'accommoder tant bien que mal de leurs maîtres à éclipses, et pris l'habitude de se gouverner eux-mêmes. L'arrivée de Louis XIV et de ses méthodes autoritaires ne leur fit aucun plaisir et, bien qu'ils aient toujours parlé le français, il fallut la Révolution pour qu'ils se sentent enfin complètement et définitivement Français.

Dole, «porte du Jura»

Capitale de la Franche-Comté jusqu'à la conquête française, Dole semble se satisfaire d'en avoir perdu les honneurs, mais conservé de précieux vestiges. «Porte du Jura», elle reste la ville la plus importante du département et une étape privilégiée entre Paris et Genève, entre Chalon-sur-Saône et Besançon.

Siège du parlement, des états et de l'université de la province, Dole fut conquise par surprise sous Louis XI. Le général des troupes françaises, Charles d'Amboise, irrité de la résistance des habitants, fit raser la ville (à l'exception de l'hôtel de Vurry qu'il habitait et qui se trouve ainsi être le seul vestige antérieur à 1479, avec la «Cave d'Enfer» où s'étaient retranchés les derniers défenseurs, épargnés e hommage à leur courage indomptable).

Grand toit débordant et balcon à balustres : l'ancien hôtel-Dieu de Dole est devenu l'hôpital Pasteur. ▼

Les Autrichiens revenus (1493), Dole releva courageusement s ruines. Charles Quint la dota d'une solide enceinte de remparts, q lui permit de résister victorieusement, en 1636, aux troupes du prin de Condé, envoyées par Richelieu, qui l'assiégèrent sans succ durant quatre-vingts jours. Elle eut moins de chance avec celles Louis XIV, qui s'en emparèrent, non sans mal, en 1674. C'est po

rbizier, âme de la crèche

on nom viendrait de « barbi », ebis » en patois : Barbizier serait c un berger. C'est le plus fameux os du folklore comtois, le sonnage bisontin de la crèche. vieux noëls bisontins sont bres. Véritables morceaux thologie régionale, ils braient autant le ciel que la terre celle des vignobles — et la crèche nait l'occasion d'exprimer, dans sorte de *commedia dell'arte*, les cis locaux et les problèmes tualité.
e sont des marionnettes — telles on peut en voir au Musée ulaire comtois de la citadelle Besançon — qui incarnaient les sonnages de cette comédie. À la rustre, tendre et gouailleur, bizier en était l'âme. Les poètes, les conteurs, les écrivains ont dressé de lui des portraits plus ou moins précis. Voici celui qu'en traçait le Bisontin Charles Nodier, attribuant au héros une mission révolutionnaire : « Orateur sans culture, mais soudain, naïf et sensé, dans la langue agreste de son pays, à laquelle il ne renonça jamais, il était devenu populaire sans flatter le peuple, et c'est un genre de popularité dont on a perdu le secret [...]. La mission spéciale de Barbizier était d'exprimer, aux pieds du Dieu nouveau-né, les véritables doléances du vrai peuple, qu'il faut bien prendre garde de confondre avec l'autre. Elle consistait surtout à fronder avec une courageuse liberté les mauvaises mesures de l'administration publique, les mauvaises mœurs dont les grands se faisaient trop facilement un

——►

▲ *Deux étages de galeries à arcades ceinturent la cour intérieure de l'hôpital de Dole.*

ir la ville de sa résistance opiniâtre que le Roi-Soleil la dépouilla ses prérogatives.
Dole est étagée sur une colline qui domine la rive droite du Doubs e canal du Rhône au Rhin. Ce que l'on aperçoit en premier, à des mètres à la ronde, c'est la basilique Notre-Dame, dont la haute et ssante silhouette s'élève au-dessus des toits bruns de la vieille e. C'est la plus grande église de Franche-Comté. Son énorme cher, haut de 74 m, servait jadis de beffroi. Un guetteur se tenait en permanence à son sommet pour signaler l'approche d'un ennemi éventuel. Il donnait également l'alarme en cas d'incendie, et cette habitude s'est conservée jusqu'en 1925.

Bien que construite au XVIe siècle, Notre-Dame de Dole appartient, dans l'ensemble, au style gothique flamboyant. Sa tour, couronnée d'une galerie flanquée de quatre clochetons, est épaulée par d'épais contreforts. Édifiée en avant de la façade, elle forme porche. Dans la nef, haute de 28 m et longue de 58, Claude Le Rupt a sculpté, en marbre de la région, la chaire, où prêcha saint François de Sales, et la tribune d'orgues. Les orgues elles-mêmes, riches de 4000 tuyaux et de 64 jeux, datent de 1754; elles sont l'œuvre de Charles Riepp, un facteur allemand installé à Dijon, et leur remarquable buffet sculpté est de Michel Devosge. Le chœur recèle de belles statues d'apôtres du XVIe siècle et une intéressante Vierge à l'Enfant du XVe. C'est dans cette église, sur les fonts baptismaux du XVIIIe siècle, dans le bas-côté gauche, que fut baptisé, le 15 janvier 1823, le plus célèbre des Dolois, le grand biologiste Louis Pasteur.

La maison natale du savant, aujourd'hui transformée en musée, se trouve — bien entendu — rue Pasteur. Cette artère, une des plus pittoresques du vieux Dole, s'appelait autrefois « rue des Tanneurs », et ses maisons donnent, par-derrière, sur un canal qui porte le même nom. Le père de Louis Pasteur exerçait, en effet, la profession de tanneur, et son atelier a été reconstitué. Le musée renferme aussi des documents, des portraits, des objets personnels qui permettent de se faire une idée de l'enfance modeste, de la jeunesse studieuse et de la brillante carrière de celui que l'humanité considère comme l'un de ses bienfaiteurs pour avoir vaincu la rage.

On ne se lasse pas de cheminer dans le vieux Dole, qui a conservé son dédale de ruelles, de canaux (on surnomme parfois la ville, avec une certaine emphase, la « Venise du Jura »), de ponts et d'escaliers. Hauts toits de tuiles brunies, gracieuses fontaines, balcons à tourelles, portails et frontons sculptés composent un décor toujours renouvelé. Parmi les demeures anciennes, l'une des mieux conservées est l'hôtel de Froissard, dont les fenêtres grillées et la cour intérieure à galeries datent de Louis XIII.

Si la rue du Collège-de-l'Arc est enjambée par un pont couvert, c'est parce que le collège fondé par les jésuites à la fin du XVIe siècle en occupait les deux côtés. Depuis que Dole n'est plus une ville universitaire, les bâtiments sont devenus trop vastes pour le collège communal, et ils abritent en plus la bibliothèque, le musée de Peinture et le Musée archéologique. Ce dernier est installé dans l'ancienne chapelle, qui s'ouvre sur la rue par un magnifique porche de style Renaissance : au-dessus des arcades en plein cintre, une loggia à l'italienne, soutenue par des colonnes corinthiennes, est ornée de cariatides ailées, de balustres et de pots à feu.

privilège, les mauvaises doctrines que les petits prennent trop vite pour d'utiles enseignements, les abus du pouvoir [...]. Et c'est ainsi que le despotisme le plus absolu qui eut jusqu'alors pesé sur le monde [...] était tempéré depuis plus de cent ans dans la vieille cité séquanaise par un Aristophane de bois. » ■

Vesoul au pied de la Motte

Vesoul, préfecture de la Haute-Saône, est située dans un bassin tapissé de prairies, au pied d'une colline conique appelée « la Motte ». Autrefois, les habitants vivaient sur la colline. Au Moyen Âge, on y bâtit un château fort, et Vesoul devint une citadelle. Prise et ravagée à plusieurs reprises, la ville est descendue dans la plaine, et la colline ne porte plus qu'une énor[me] statue de la Vierge, abritée par u[n] banal clocheton. On y accède par une route fort escarpée, jalonnée par les quatorze stations d'un chemin de croix.

N'ayant connu la tranquillité qu'après la paix de Nimègue, Ve[soul] possède peu de richesses architecturales, en dehors de quelques maisons anciennes (la p[lus] intéressante est l'hôtel Thomassi[n] de style gothique flamboyant). P[our] les touristes, le centre d'intérêt s[e] situe place de l'Église, à laquelle [de] vieilles demeures confèrent un indéniable cachet. L'église Saint-Georges, construite de 1732 à 174[5 sur] l'emplacement d'un sanctuaire d[u] XIe siècle, est un édifice classiqu[e à] coupole centrale. Elle contient u[n] saint sépulcre en pierre du XVe siècle, quelques statues du X[...]

▲ *Ce saint sépulcre de pierre, d'époque Renaissance, se trouve dans l'église Saint-Georges de Vesoul.*

Construit au XVIIe siècle, l'ancien hôtel-Dieu est devenu l'hôpital Pasteur sans changer d'aspect. Ses bâtiments, qui faisaient dire à Louis XIV que, « dans cette ville, ce sont les gueux et les malades les mieux logés », s'ordonnent autour d'un cloître central : deux étages de galeries à arcades, reliés par un escalier à vis, entourent un joli puits à armature de fer forgé. À l'extérieur, un somptueux balcon de pierre aboutit à une charmante échauguette.

La plaine aux grands bois

Pour les Dolois, les espaces verts sont tout près. Vers l'est, l'immense *forêt de Chaux* (19 500 ha, une des plus vastes de France) commence, pour ainsi dire, aux portes de la ville. Peuplée pour moitié de chênes, auxquels font cortège charmes, hêtres, bouleaux et trembles, elle recèle de curieux tertres que l'on appelle ici des « mottes ». Visiblement artificiels, ils sont probablement d'origine gauloise, et l'on suppose qu'ils avaient une fonction religieuse. Au nord, le *bois de la Serre* (3 000 ha) couvre le petit massif de collines du même nom — une curiosité géologique : il est formé de roches cristallines et marque ainsi un relais entre Morvan et Vosges — et offre de nombreux buts de promenade : grotte de l'Ermitage, enceinte préhistorique du mont Guérin. À la porte sud du massif, tout proche de Dole, le belvédère du mont Roland (350 m) porte à son sommet une église moderne, lieu de pèlerinage; celle-ci a remplacé le sanctuaire qui s'élevait en contrebas et dont les ruines contiennent toujours la statue de 3 m de haut qui passa longtemps pour représenter Roland, le héros de Roncevaux.

Au nord du massif de la Serre, le bourg de *Pesmes* domine la verdoyante vallée de l'Ognon, un affluent de la Saône. C'est une ancienne place forte qui a gardé quelques vestiges de remparts et les ruines d'un château. Souvenir d'une époque fastueuse, l'église (XIIIe-XIVe s.), dont la terrasse offre un joli point de vue sur la vallée, abrite d'intéressantes œuvres d'art de la Renaissance : un retable en marbre rose, garni de statuettes d'albâtre; un remarquable triptyque peint sur bois par Jacques Prévost; le tombeau des frères d'Andelot; une chapelle décorée de marbres polychromes par Le Rupt.

En amont de Pesmes, l'*abbaye d'Acey* est le seul couvent cistercien de Franche-Comté qui soit encore en activité. Fondé en 1136, il fut ravagé au XVIIe siècle par un incendie. La très belle abbatiale romane a été restaurée, mais amputée d'une grande partie de sa nef, et le vaste cloître aux galeries voûtées d'arêtes a été rebâti.

Entre Besançon et Dole, le Doubs serpente au milieu de hauteurs boisées, semblant jouer avec le canal du Rhône au Rhin, qui tantôt chemine à ses côtés et tantôt se confond avec lui.

Dans les falaises qui bordent l'un des méandres de la rivi[ère] s'ouvrent les *grottes d'Osselle.* Connues et visitées depuis f[ort] longtemps, elles ont caché jusqu'en 1970 l'une de leurs principa[les] curiosités : une véritable nécropole d'ours des cavernes, dont l'ar[gile] conservait depuis cinquante mille ans les énormes squelettes. [Les] quinze salles souterraines sont ornées de concrétions qui présent[ent] une variété exceptionnelle de coloris. Une rivière parcourt la gal[erie] principale, longue de 1,2 km. Depuis 1752, un pont de pie[rre] l'enjambe. Pourquoi l'intendant de la province, M. de Beaumont, f[it-il] transporter des matériaux à dos d'homme sur plus d'un kilomètr[e à la] seule fin de construire un pont qui ne conduisait nulle part ? Myst[ère]. Après deux cents ans d'inutilité, la découverte de nouvelles gale[ries] vient enfin de lui donner une raison d'être.

En amont des grottes, le clocher roman de *Boussières,* le man[oir] Renaissance de *Thoraise,* les ruines du château de *Montferrand*[, le] belvédère du *rocher de Valmy,* où a été élevé un monument à [la] Résistance, et la *chapelle Notre-Dame-des-Buis,* lieu de pèlerinage [où] sont vénérées deux statues de la Vierge, l'une du XIVe siècle et l'au[tre] du XVIe, jalonnent la rivière jusqu'à Besançon.

Besançon ceinturée par le Doubs

Capitale de la Franche-Comté française, Besançon, qui s'appe[lait] alors *Vesontio,* était déjà, au temps des Gaulois, celle du pays [des] Séquanes. Il faut dire que le site dans lequel est bâtie la ville [est] exceptionnel. Un ample méandre du Doubs, ceinturé de haute[urs] boisées, l'entoure d'une boucle liquide au dessin régulier, fermée [par] un isthme étroit et abrupt. Avec les deux reliefs qui le flanquent[, le] mont Chaudanne et le plateau de Bregille, cet éperon roch[eux] commande la vallée et semble fait pour porter une citadelle.

Après les Séquanes, les Romains estimèrent à sa juste valeu[r la] position stratégique de Vesontio et en firent une colonie. Deve[nue] capitale de la province de Séquanie et archevêché, la ville fut rava[gée] par les Barbares et ne dut son salut qu'à la tutelle des Burgon[des]. Gouvernée en fait par ses archevêques, elle profita ensuite des lu[ttes] féodales pour secouer le joug bourguignon et se ranger sous [la] bannière du Saint Empire. Devenue « ville libre impériale », [elle] s'érigea en commune et resta indépendante jusqu'à la paix [de] Nimègue (1678). La conquête française en fit la capitale de [la] Franche-Comté, lui donna le parlement et l'université dont elle a[vait] dépouillé Dole, et la dota de remarquables fortifications.

C'est Vauban qui, à la fin du XVIIe siècle, couronna d'une citad[elle] l'arête rocheuse qui, à 118 m au-dessus du Doubs, verrouill[e la] presqu'île de Besançon. Auparavant, cette acropole bisontine a[...]

de belles boiseries du XVIIIe.
Au nord-est de la ville s'élève une tite chaîne de collines assez ruptes. L'une d'elles se termine r une crête rocheuse déchiquetée r le vent et la pluie : sculpté par rosion, le rocher isolé baptisé Sabot de Frotey » est un belvédère où l'on aperçoit, par beau temps, Jura et les Vosges. S'il ne fait pas au, on peut descendre vers le sud squ'au gouffre du Frais-Puits, un ste entonnoir normalement à sec, ais d'où sort en bouillonnant, par mps de pluie, un ruisseau ondant.
En continuant vers le sud, on rive bientôt à *Filain*, un vieux lage où se dresse un très beau âteau. Bâti au XVIe siècle sur des ndations plus anciennes, restauré XVIIe siècle, il allie, avec sa houette massive et ses deux tours carrées, la puissance d'une forteresse au charme d'une demeure Renaissance. Meublé dans le style comtois, il possède de belles cheminées Renaissance : sur l'une d'elles, un cerf, harcelé par les chiens et traqué par les chasseurs, jaillit littéralement de la pierre.
Au sud-ouest de Vesoul, dans l'agréable vallon de la Romaine, l'ancienne *abbaye de la Charité* a été fondée au XIIe siècle, mais le château restauré qui fut le logis de l'abbé date de Louis XVI. ■

Au fil de l'Ognon

Descendu des Vosges, l'Ognon traverse la Franche-Comté en diagonale pour aller se jeter dans la Saône. En aval de *Villersexel* — dont le château Louis XIII, démoli au

⟶

▲ *Forteresse ou manoir? Le château de Filain hésite entre le Moyen Âge et la Renaissance.*

La somptueuse grille en fer forgé de l'hôpital Saint-Jacques, à Besançon.

rté un temple païen, puis une église dédiée à saint Étienne. Celle-ci démolie lors de la construction du « front » Saint-Étienne, la emière des trois lignes de défense qui constituent l'essentiel des tifications. On atteint son bâtiment central en franchissant, sur un nt, un large et profond fossé creusé dans le roc, et l'on y pénètre un majestueux portail surmonté des armes de France et encadré pilastres portant un fronton courbe.
Une vaste esplanade sépare le front Saint-Étienne du deuxième stion, le front Royal, construit par les Espagnols en 1669, lorsque le ité d'Aix-la-Chapelle leur rendit — très provisoirement — la ville. uban en a dissimulé la courtine et creusé le fossé. Il a également t aménager un souterrain reliant les deux fronts et permettant de gagner les casemates. Au-delà du cœur de la citadelle, où se trouvent les casernements, l'arsenal, le moulin, la chapelle, le manège et un puits colossal, profond de 127 m, dont le treuil est actionné par une roue de 4 m de diamètre, s'étend le front de Secours. Sur les côtés, parallèlement au Doubs, la citadelle est bordée de remparts de 15 à 20 m de haut et de 5 à 6 m d'épaisseur. Entre le front de Secours et le front Royal, ils portent des chemins de ronde aboutissant, à l'ouest, à la tour de la Reine et, à l'est, à la tour du Roi. En les parcourant, on découvre un panorama inoubliable : au sud sur le faubourg Tarragnoz, l'île des Grands-Bouez, le mont et le fort Chaudanne, Trois-Châtels et les Buis; au nord sur la ville, le faubourg de Rivotte, les forts Beauregard et de Bregille, la grande boucle du Doubs.

cours de la guerre 1870-71, a été rebâti dans le même style —, le cours sinueux de la rivière, parallèle à celui du Doubs, sert de frontière méridionale au département de la Haute-Saône, qu'il sépare d'abord de celui du Doubs, puis de celui du Jura. Chemin faisant, l'Ognon passe en flânant devant quelques-unes des belles demeures seigneuriales de la province.

Le *château de Bellevaux* est le seul vestige d'une abbaye cistercienne fondée au XIIe siècle et reconstruite au XVIIIe. Le général Pichegru acheta le couvent après la Révolution et démolit l'abbatiale. Cela ne lui porta pas bonheur. Compromis dans le complot de Cadoudal, il fut arrêté et se suicida dans sa prison.

Buthiers, c'est un village, une rivière, un vallon boisé, tributaire de l'Ognon, et un joli château classique,

▲ *Façade incurvée, fronton triangulaire et colonnes ioniques : le château de Moncley.*

construit au XVIIe siècle. Le très beau *château de Moncley* est plus jeune d'un siècle : l'architecte bisontin Bertrand l'édifia en 1778 pour le président du parlement de Franche-Comté, le marquis Terrier de Santans, alors qu'il venait d'achever l'hôtel de l'Intendant (actuelle préfecture de Besançon) et les deux édifices présentent, en effet, un indiscutable « air de famille ». Côté cour, un imposant péristyle ionique orne une façade gracieusement incurvée; côté jardin, une rotonde à coupole est encadrée par deux pavillons carrés.

À *Marnay,* une ancienne place forte qui a conservé ses portes et quelques vestiges de remparts, le château fort, transformé en habitation, est sans grand intérêt, mais la façade Renaissance de l'hôtel de Santans, aujourd'hui

Besançon : les quais ombragés
▼ *du Doubs.*

Caserne et école de cadets sous Louis XIV, prison d'État sous la Terreur, le Consulat, l'Empire et la Restauration, de nouveau forteresse soutenant les sièges de 1814 et de 1871, la citadelle, démilitarisée, est maintenant propriété de la ville de Besançon, qui y a installé un parc zoologique et plusieurs musées : Musée populaire comtois, musée de la Résistance et de la Déportation, musée d'histoire naturelle, musée de l'Agriculture. Les goûts les plus divers sont satisfaits par une visite au cœur de la citadelle.

La vieille ville et sa cathédrale

Au pied de la citadelle, la moderne Besançon s'est, depuis longtemps, échappée de la boucle du Doubs, mais la vieille ville aux toits de tuiles brunes, où l'on retrouve, en rêvant, les siècles passés, est toujours nichée dans le méandre de la rivière. Cette protection naturelle était jadis doublée d'une solide enceinte de remparts, dont l'un des plus beaux vestiges est la *porte Rivotte :* flanquée de deux tours rondes, elle date du XVIe siècle, mais fut dotée, après la conquête française, d'un avant-corps aux armes de Louis XIV.

L'abrupte et zigzagante rue des Fusillés-de-la-Résistance, qui relie la citadelle à la ville, aboutit au principal monument de celle-ci, la cathédrale Saint-Jean. Construite, pour l'essentiel, au XIe et au XIIe siècle, elle est en partie romane, mais l'étage supérieur et les voûtes sont gothiques. Quant au clocher, il s'écroula au XVIIIe siècle et fut rebâti dans le style de l'époque. L'édifice présente la particularité de ne pas avoir de façade principale, chacune des extrémités étant terminée par une abside. On y pénètre par un portail latéral, de style rocaille, situé sur le flanc nord. À l'intérieur, la nef est bordée par des collatéraux et des chapelles, mais il n'y a ni transept ni déambulatoire. Des tableaux de grande valeur ornent la cathédrale, notamment la célèbre *Vierge aux saints* de Fra Bartolomeo (bas-côté nord), magnifique peinture de la Renaissance, exécutée à Rome en 1518 pour Ferry Carondelet, chanoine de la cathédrale et conseiller de Charles Quint, dont le tombeau en marbre blanc se trouve dans l'abside du Saint-Suaire. Cette même abside est ornée de toiles du XVIIIe siècle de Carle Van Loo, Natoire et de Troy. Parmi les autres richesses du sanctuaire, il faut citer la chaire en pierre, de style flamboyant, et un autel circulaire roman, en marbre, dit « rose de Saint-Jean », qui date du XIe siècle. La sacristie, décorée de boiseries sculptées du XVIIIe siècle, recèle de précieux objets religieux, dont un ostensoir ciselé à Bruges à la fin du XVIe siècle.

L'étage inférieur du clocher de la cathédrale, qui s'adosse au bas-côté sud, abrite une étonnante horloge astronomique, symbole de la tradition horlogère bisontine. Elle est pourtant inspirée de celle de Strasbourg, et M. Vérité, qui l'a construisit de 1857 à 1860, était de Beauvais. Elle comporte 3 000 pièces de mécanisme, 72 cadrans, un ensemble de 22 automates, et fournit 122 indications.

Le quartier de la cathédrale est l'un des plus pittoresques de la vieille ville. Tout près de l'église s'élève la *porte Noire,* vestige

cupé par la gendarmerie, ne nque pas d'allure, et la vieille ise (XIVe, XVe et XVIe s.) renferme intéressants tableaux et statues XVe siècle. ■

dustrieuse prospère Montbéliard

Au sud de Belfort, près du canal Rhône au Rhin, Montbéliard urdonne d'activité, au confluent l'Allan et de la Lizaine. Bien que ville ait donné son nom à une ucisse et à une race bovine, elle se ésente aujourd'hui dans un ntexte résolument industriel : ature et tissage du coton, nstruction automobile, tallurgie, horlogerie... Son ivité économique — dont l'essor poursuit sans désemparer depuis deux cents ans — ne l'incite pas à la contemplation du passé. Pourtant, l'empreinte des siècles y est bien marquée, et la ville mérite que l'on s'y arrête.

Dépendant autrefois du royaume de Lorraine, Montbéliard — l'ancienne *Mons Biliardae* gallo-romaine — devint ensuite un comté indépendant. Au XVe siècle, ce comté échut, par héritage, à Henriette de Montfaucon, qui l'apporta en dot à la maison de Wurtemberg. Celle-ci resta la suzeraine de Montbéliard jusqu'en 1793, en dépit des efforts de Charles le Téméraire et de Louis XIV pour s'emparer du comté, et les monuments de la ville trahissent cette présence germanique.

L'agglomération est dominée par une longue arête rocheuse, pas très haute mais fort escarpée, qui porte

→

▲ *Besançon : la porte Noire, arc romain rongé par les siècles, et, au fond, le clocher de la cathédrale.*

ccupation romaine. Il s'agit d'un arc de triomphe noirci par les cles, jadis « porte de Mars », qui devait avoir grande allure, avec s colonnes et ses sculptures, quand il n'était pas étouffé par les meubles voisins. Un peu plus loin, voici la maison natale de Victor ugo et, à côté, celle des frères Lumière, inventeurs du cinéma. À ux pas, les colonnes antiques du square archéologique A.-Castan moignent de l'existence, aux premiers siècles, d'un réservoir d'eau menté par un aqueduc.

Besançon ville d'art

Artère principale de Besançon depuis vingt siècles, l'étroite et ive Grande-Rue, ancienne voie romaine, traverse la vieille ville de rt en part. En grande partie réservée aux piétons, elle dessert les ises Saint-Pierre et Saint-Maurice, toutes deux du XVIIIe siècle, ôtel de ville du XVIe siècle, avec sa sévère façade à bossages, et, au x d'un petit crochet, le palais de justice, ancien siège du parlement Franche-Comté, qui a conservé sa jolie façade Renaissance. Elle ge aussi quelques-uns des beaux hôtels particuliers des XVIe, XVIIe XVIIIe siècles qui sont un des principaux charmes de Besançon, et tamment celui que les Bisontins considèrent comme le plus beau uron de leur cité, le *palais Granvelle.*

ssus d'une famille paysanne d'Ornans, les Granvelle connurent, au Ie siècle, une irrésistible ascension. C'est Nicolas Perrenot de anvelle, chancelier de Charles Quint, qui fit construire le palais de 34 à 1547. La façade Renaissance, majestueuse et un peu austère ec ses trois étages de colonnes et ses lucarnes ouvragées, cache une sissante cour intérieure entourée, comme un cloître, de galeries nt les arcades en anse de panier trahissent une influence espagnole. jardin du palais est devenu une promenade publique, et le palais -même abrite le musée d'histoire de la Franche-Comté : on peut admirer une remarquable série de tapisseries flamandes XVIIe siècle, la *tenture de Charles Quint,* sur laquelle le cardinal de anvelle figure aux côtés de l'empereur.

Le musée dont les Bisontins sont, à juste titre, le plus fiers, c'est le *sée des Beaux-Arts,* un des plus riches de France. Pour l'accueillir, disciple de Le Corbusier, Louis Miquel, a complètement remanié térieur de la vieille halle aux blés. Ce cadre résolument moderne t parfaitement en valeur les tapisseries, les céramiques, les objets rt du Moyen Âge et de la Renaissance, et les tableaux signés — re autres — Bellini, Cranach, Rubens, Jordaens, Zurbaran, gonard, Bonnard et Renoir. On y trouve également des objets ciens — notamment un admirable taureau de bronze d'époque lo-romaine — et un intéressant musée de l'Horlogerie.

Besançon : la cour du palais Granvelle est entourée, comme un cloître, ▼ *de galeries couvertes.*

Devenue ville universitaire après la conquête française, Besançon se devait d'avoir une bibliothèque bien fournie : la *Bibliothèque municipale,* fondée en 1694, abrite aujourd'hui, en plus d'une importante collection de médailles, de dessins et de reliures, 2800 manuscrits, un millier d'incunables et quelque 140000 volumes.

le château des comtes de Montbéliard. À la pointe orientale du promontoire, une terrasse triangulaire précède la partie la plus ancienne de l'édifice, une jolie façade à volutes du XVIe siècle, encadrée par deux grosses tours rondes coiffées de lanternons. Celle de droite, la plus grosse, qui date du XVe siècle, est dite « tour de Montfaucon » parce qu'elle fut construite par Henriette de Montfaucon, mais on l'appelle aussi « tour Bossue ». Ses deux étages inférieurs servaient de prison, ses deux étages supérieurs de bibliothèque et de chapelle. À gauche, la « tour Neuve », ou « tour de Frédéric », flanquée d'une mince tourelle, fut construite en 1590.

Derrière cette pittoresque façade, un long bâtiment classique, élevé au XVIIIe siècle, abrite le musée d'Histoire naturelle et des Beaux-Arts. À côté des salles de peinture contemporaine et d'antiquités gallo-romaines provenant de Mandeure, celui-ci présente d'importantes collections zoologiques qui rappellent que le grand naturaliste Cuvier est né à Montbéliard. À l'autre extrémité de la plate-forme le bâtiment de l'Horloge, qui héberge l'École des douanes, présente un haut toit à lucarnes superposées et un pignon à volutes très typiques de la Renaissance wurtembergeoise.

Lorsque les Wurtemberg, au XVIe siècle, se convertirent à la religion luthérienne, leurs sujets montbéliardais suivirent le mouvement, et la ville est restée un fief protestant. Le temple Saint-Martin, construit dans les premières années du XVIIe siècle par un

▲ *Bâti sur un promontoire exigu, mais très abrupt, le château de Montbéliard trahit l'origine allemande des seigneurs qui le firent construire.*

Les seize quartiers de noblesse de Baume-les-Dames

En amont de Besançon, le Doubs longe le rocher de la citadelle et la *porte Taillée,* creusée dans la pierre par les Romains pour faire passer un aqueduc et agrandie sous Louis XIV pour livrer passage à la route de Suisse. Les collines s'écartent, et la rivière chemine à l'aise parmi les prairies, partageant son large lit avec le canal du Rhône au Rhin, qui n'en sort que pour éviter quelque méandre. Mais bientôt les pentes boisées se resserrent. La montagne de *Notre-Dame-d'Aigremont* domine la vallée de ses 557 m, au sommet desquels se dresse une vieille chapelle. Tout près de là, ce sont les ruines du château de Roulans qui s'accrochent à un piton, surveillées, de la rive opposée, par celles du château de Vaîte.

Au confluent du Doubs et du Cusancin, la vallée s'épanouit dans un cercle de montagnes, brisé seulement en deux endroits par la rivière. Dans ce bassin s'élève la paisible petite cité de *Baume-les-Dames,* qui doit son nom à une grotte (« baume » en vieux français) et à un couvent de bénédictines.

L'abbaye, qui s'appelait primitivement Baume-les-Nonnes, fut fondée au VIIIe siècle, mais la tradition veut qu'à cet emplacement ait existé auparavant un ermitage, dans un vieux château burgonde. Ce serait là que la future sainte Odile, qui était aveugle, se serait réfugiée pour échapper à la vindicte de son père, et aurait recouvré la vue en recevant le baptême.

Avec le temps, les nonnes de l'abbaye — tout comme les moines de Baume-les-Messieurs — se recrutèrent dans un milieu de plus en plus huppé et, au XVIIIe siècle, les jeunes filles désirant prendre le voile devaient présenter au moins seize quartiers de noblesse. L'ancienne église abbatiale, en cours de restauration, se dresse toujours au milieu de l'enceinte du couvent. Coiffée d'un dôme, elle date des XVIe et XVIIe siècles, et son élégante décoration intérieure est de style classique.

La ville, qui fut le chef-lieu d'une vicomté, puis, après la conquête française, d'un bailliage, a conservé quelques vestiges de son riche passé, bien qu'elle ait été durement éprouvée par la dernière guerre. Place de la République, les demeures cossues du XVIIIe siècle ont de beaux balcons sculptés, tandis que celles qui bordent la place de la Loi sont à arcades. Ici, une maison de la Renaissance présente un portail de belle allure et, sur un angle, une tourelle en encorbellement; là, c'est le palais de justice ou le vieil hôpital de la Croix. L'église Saint-Martin, reconstruite au début du XVIIe siècle, possède des retables Louis XIII, une Pietà de 1549, des statues en bois polychrome de sainte Barbe (XVIe s.) et de saint Vincent (fin du XVIIIe s.), et un lutrin en marbre, bronze et fer forgé de Nicole (1751).

De Baume-les-Dames, on peut remonter la pittoresque vall[ée] encaissée du Cusancin jusqu'à la source Bleue où la rivière pre[nd] naissance. On peut aussi gagner, vers le sud, l'abbaye et la glacière [de] *la Grâce-Dieu.*

L'abbaye de Notre-Dame de la Grâce-Dieu est un ancien monastè[re]

hitecte wurtembergeois, passe
ur le plus ancien de France. D'un
le Renaissance très dépouillé, à
xtérieur comme à l'intérieur, il
ssède néanmoins un remarquable
fond à caissons sculptés.
vant le temple, place Saint-Martin,
ôtel de ville en grès rose, construit
1778, sert de toile de fond, avec
clocheton et son joli balcon de
forgé, à la statue de Cuvier par
vid d'Angers.
Au sud de Montbéliard, dans une
ıcle du Doubs, *Mandeure* fut,
s le nom d'*Epomandurum*, une
portante cité gallo-romaine.
vagée par les Barbares, elle n'a
ıservé, du temps de sa splendeur,
les vestiges d'un théâtre antique,
is c'est l'un des plus grands que
connaisse (142 m de diamètre,
rs que celui d'Orange en a 103 et
ui d'Arles 102). ■

Gray : une prospérité venue de la Saône

Au nord-ouest de la Franche-Comté, Gray est perchée sur une colline au bord de la Saône. Sans avoir l'activité qu'il connut au lendemain de la Révolution, lorsque les douanes intérieures furent supprimées et que les chemins de fer n'existaient pas encore, son port garde une certaine importance.

Du vieux pont de pierre à quatorze arches qui franchit la Saône, élargie en bassin par une écluse, la ville, agrippée à son coteau, paraît proche, ramassée. Il faut pourtant la mériter, escalader ses rues pentues, ses ruelles, ses escaliers. Au sommet trône l'hôtel de ville, bel édifice de la Renaissance. Ses neuf arcades en plein cintre (dont l'une est bouchée par une fontaine) soutiennent →

▲ *Colonnes corinthiennes en marbre rose et toit de tuiles vernissées égaient la parfaite ordonnance de l'hôtel de ville de Gray.*

Baume-les-Dames doit son nom à une abbaye de bénédictines dont toutes les nonnes étaient issues de la noblesse.

ercien, fondé au XIIe siècle par saint Bernard. Fermé lors de la 'olution, il est occupé, depuis 1927, par des religieuses, les pistines de Besançon. Aucun des bâtiments actuels (que l'on ne te pas) n'est antérieur au XVIIIe siècle. La glacière naturelle est un ffre (appelé ici « emposieux ») de 66 m de profondeur, dont l'ouverture latérale, située en pleine forêt, est exposée au nord. L'hiver, l'air froid y circule librement et fait geler l'eau qui ruisselle de la voûte. Afin de favoriser la formation de belles stalagmites, on dépose des fagots au fond de la grotte. L'été, l'air chaud, qui a tendance à monter, ne descend pas dans le gouffre, où la glace subsiste toute l'année.

Belfort au cœur de la « trouée »

Au nord de l'actuelle Franche-Comté — mais à l'écart de la Franche-Comté historique, car la ville appartenait alors à l'Alsace —, Belfort est située au cœur de la « trouée », une plaine ondulée, de 30 km de large, qui sépare le Jura des Vosges. L'agglomération s'étend sur les deux rives de la Savoureuse, un sous-affluent du Doubs. Sur la rive gauche, un rocher de 67 m de haut, couronné d'une citadelle, domine la vieille ville de sa falaise abrupte, à laquelle s'adosse un énorme lion de pierre. Sur la rive droite, au nord-ouest de la ville neuve, un fort chapeaute le cône boisé de la montagne du Salbert. Tout le destin de Belfort a été marqué par cette situation stratégique.

De tout temps, la « trouée de Belfort » est apparue aux envahisseurs comme le meilleur — le seul? — moyen de passer rapidement du Rhin au Rhône. Celtes, Barbares, Autrichiens et Allemands ne se sont pas privés d'user de cette confortable voie d'accès.

Dès l'époque romaine, le rocher fut fortifié et, au XIIe siècle, les comtes de Montbéliard y construisirent un château baptisé « Beaufort » (ou « Belfort »). Gratifiée, en 1307, d'une charte garantissant ses libertés communales, la ville fut rattachée, en 1350, au domaine de la maison d'Autriche. Assiégée à plusieurs reprises durant la guerre de Trente Ans, elle fut conquise par les Français en 1636. Vauban la dota alors d'un ensemble de fortifications si bien conçu que, sous l'Empire, elle résista victorieusement à trois sièges autrichiens. Pendant la guerre de 1870-71, l'héroïque résistance qu'elle opposa, sous le commandement du colonel Denfert-Rochereau, aux troupes allemandes lui valut les honneurs de la guerre : au lieu de subir le sort de l'Alsace, elle resta française. Séparée de sa province, elle devint le chef-lieu d'un minuscule « territoire », au statut de département, et aujourd'hui partie intégrante de la Franche-Comté.

Après la guerre de 1870-71, Belfort, favorisée par l'immigration d'industriels venus de l'Alsace occupée, connut un développement spectaculaire. Pour s'étendre, il lui fallut démolir ses remparts. Du formidable appareil défensif édifié par Vauban, il ne subsiste que la forteresse de grès rouge dont la silhouette plate et massive semble accroupie au sommet du rocher.

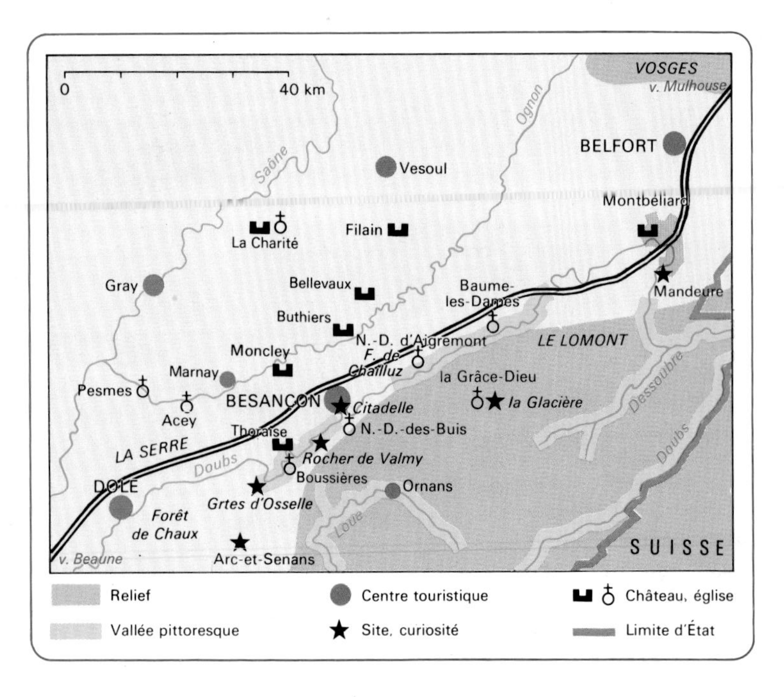

l'unique étage, éclairé par huit grandes fenêtres rectangulaires, encadrant un panneau armorié et surmontées d'une frise sculptée. Arcades et fenêtres sont séparées par des colonnes de marbre rose à chapiteau corinthien, et un toit de tuiles vernissées, bariolé comme un tapis persan, achève d'égayer l'ensemble.

À quelques pas de l'hôtel de ville, l'église Notre-Dame, commencée en 1478 et terminée... en 1863, sous le « règne » de Viollet-le-Duc, est de style gothique flamboyant. En forme de croix latine, elle est coiffée, à la croisée, d'un gros clocher carré à bulbe, surmonté d'un lanternon à bulbe, lui-même couronné d'un deuxième lanternon à bulbe portant une boule.

Derrière l'abside de l'église, un jardin public entoure le château, dans lequel on pénètre par une grosse tour médiévale, vestige de l'ancienne forteresse, pour visiter le musée Baron-Martin, principal centre d'intérêt artistique de Gray. Un hommage particulier y est ren au portraitiste Pierre Paul Prud'h qui, pour n'être pas franc-comtoi trouva dans ce pays un refuge salutaire pour sa santé et bénéfiq pour son inspiration. Cela nous v une remarquable série de pastels, gravures et d'estampes aux visage harmonieux. Les petites salles du musée présentent de belles toiles hollandaises, flamandes, italienne allemandes et françaises, allant d XVIe au XXe siècle, les caveaux de l'ancienne forteresse abritent des collections archéologiques, et la terrasse du château domine la plaine de la Saône, la rivière et le fouillis des vieux toits de Gray. ■

Depuis le XIIe siècle, le château médiéval de Beaufort a bien changé. En 1640, le comte de La Suze, le seigneur français qui commandait la place après s'en être emparé quatre ans auparavant, décida de renforcer les défenses du château et fit construire le Grand Couronné : deux fronts bastionnés et un gigantesque fossé (que Louis XV fit couvrir en 1749 pour l'utiliser comme casernement). À partir de 1687, Vauban, dans le cadre des travaux de fortification de la ville, compléta le Grand Couronné par un puissant ouvrage avancé (décrit par Vauban comme « à cornes, selon ma méthode particulière »), des remparts et des casemates. Au pied de l'éperon rocheux, deux belles portes aux armes de France donnaient accès à la citadelle. Il ne reste que celle du nord, la porte de Brisach, la porte de Paris ayant été détruite en 1892.

Le château abrite aujourd'hui un intéressant musée historique, qui présente, en sus de quelques tableaux d'artistes originaires de la région, des collections d'armes, de casques et de souvenirs militaires français et allemands. De la terrasse aménagée au sommet du donjon, on domine toute la ville, le fort du Salbert, la « trouée », et on aperçoit d'un côté les premiers contreforts du Jura, de l'autre les sommets vosgiens.

« Un lion harcelé, acculé et terrible encore en sa fureur »

Après la guerre de 1870-71, le conseil municipal de Belfort décida d'élever un monument « en témoignage de reconnaissance pour les victimes du mémorable siège ». Ce fut le sculpteur colmarien Frédéric Auguste Bartholdi qui fut chargé de le réaliser.

« Il est à désirer, écrivait l'artiste, que cette œuvre soit bien personnelle à la ville, et non pas un de ces monuments qui puisse se placer n'importe où, accompagné d'allégories complexes, péniblement cherchées, applicables un peu partout. Cela détermine mon choix en faveur de la roche si grandiose qui domine Belfort et qui lui donne son caractère tout à fait exceptionnel. Placé là, le monument s'identifiera à l'aspect de la forteresse [...]. J'ai pensé que le sentiment exprimé dans l'œuvre devait surtout glorifier l'énergie de la défense. Ce n'est ni une victoire, ni une défaite qu'elle doit rappeler; c'est une lutte glorieuse dont il faut transmettre la tradition pour la perpétuer et dont le souvenir doit couronner la ville de Belfort [...]. Le monument représente, sous forme colossale, un lion harcelé, acculé et terrible encore en sa fureur... »

De 1875 à 1880, Bartholdi sculpta dans le grès rouge un magnifique lion de 22 m de long sur 11 m de haut. Le monument, situé sous le château, sur une terrasse verdoyante, se profile sur la paroi grise de la

Symbole de la résistance de la ville pendant la guerre de 1870, le Lion de Belfort *s'adosse au rocher* ▼ *qui porte le château.*

falaise, au-dessus des arbres qui escaladent le rocher. À ses pieds, petits toits enchevêtrés de la vieille ville dressent leurs cheminées désordre autour de l'église Saint-Christophe.

Construite en grès rose dans la première moitié du XVIIIe siè l'église Saint-Christophe est un édifice massif, à l'édification duq Voltaire aurait, dit-on, souscrit, alors qu'il demeurait chez la comte de La Suze. Si l'aspect extérieur est un peu austère, avec imposante façade flanquée de hautes tours carrées, l'intérieur mé que l'on s'y attarde. Une frise ornée de têtes d'ange se déroule tou long de la nef, d'élégantes grilles en fer forgé ceinturent le chœur, un magnifique buffet en bois doré habille les grandes orgues.

Derrière l'église, le musée abrite des œuvres d'artistes de la régi une importante collection de peinture contemporaine, une s d'archéologie locale et une autre d'art extrême-oriental.

En plus du célèbre Lion, deux monuments de la vieille v rappellent le tragique passé militaire de Belfort. Place de République, devant la préfecture et le palais de justice, le « monum des Trois-Sièges », dernière œuvre de Bartholdi, groupe, autour figures allégoriques de la France et de la ville de Belfort, les t héros de la résistance belfortaine : le commandant Legrand, le gén Lecourbe et le colonel Denfert-Rochereau. Place d'Armes, l'Arsenal et l'hôtel de ville, tout deux du XVIIIe siècle, font penda l'église Saint-Christophe, le groupe « Quand même », de Mer rappelle le siège de 1870-71.